marie claire

cuisine

Publié pour la première fois par Murdoch Books®, une filiale de Murdoch Magazines Pty Ltd.

Publié pour la première fois, par Murdoch Books en Australie,
sous le titre original : *marie claire kitchen*
Texte © Michele Cranston
Photographies © Petrina Tinslay
Design © Murdoch Books
© Marabout-Hachette Livre 2005 pour la traduction française

Traduction et adaptation française : Farrago
Mise en pages : Ilona Chovancova

ISBN : 978-2-501-05433-1
Dépôt légal : 84515 - avril 2007

Achevé d'imprimer en Espagne par Gaficas Estella

marie claire

cuisine

michele cranston

photographies
petrina tinslay

• MARABOUT •

sommaire

la cuisine plaisir

Au calme dans la cuisine, devant un plein panier de fruits, légumes, viandes ou poissons choisis avec soin, le temps passé à mijoter une recette simple et savoureuse peut devenir un pur moment de bonheur...

Laver, gratter, éplucher, émincer, couper… Toutes ces petites tâches que l'on peut faire en écoutant notre disque préféré prennent pour certains des allures de cauchemar. Cuisiner peut engendrer une vraie panique ou un ennui profond. Par peur de rater, par manque de temps, faute aussi de connaître les gestes simples qui sauvent une sauce ou un rôti, il se trouve des gens que la cuisine fait fuir. C'est entre autres à ceux-là que ce livre est destiné, pour leur redonner un peu de joie à préparer des choses simples, à choisir les bons produits, à donner à un repas une touche originale. Pour éviter que la cuisine ne devienne un enfer, il faut d'abord apprendre à maîtriser quelques recettes de base. Vient ensuite le choix des ingrédients, qui doit tenir compte des saisons. Pour les plus inquiets, réservez les recettes simples pour la semaine et lancez-vous dans des plats sophistiqués le week-end, quand vous disposez de davantage de temps.

Plus qu'un livre de recettes, cet ouvrage est un guide pratique de la cuisine, avec les préparations de base comme les pâtes à pain, à pizza ou à tarte, les crêpes ou les pancakes, les mayonnaises et autres sauces, etc. Présentées très simplement, avec des conseils et des astuces, ces recettes de base sont réalisables par tous.

Il est divisé en huit chapitres ayant pour thème un repas précis, une saison ou encore un type de plat (les salades composées, par exemple). Chaque chapitre s'ouvre sur quelques recettes simples, qui permettent d'acquérir les bons gestes pour cuisiner et qui peuvent se décliner à l'infini. On trouve également des pages conçues comme un petit guide pour acheter les bons produits ou imaginer les mélanges les plus adaptés, selon les ingrédients. Viennent enfin les recettes proprement dites, originales et savoureuses. Aucune n'est difficile à mettre en œuvre. Il faut simplement prendre le temps de lire la recette jusqu'au bout avant de se lancer pour être sûr d'avoir tous les ingrédients à portée de main. Si certains vous sont inconnus, consultez le glossaire en fin d'ouvrage. Et mettez-vous au travail dans le calme, sans stress ni précipitation, pour que cuisiner soit un vrai plaisir.

Matins gourmands

Il y a les petits-déjeuners de tous les jours, un peu bousculés, où l'on se force à manger un peu. Et puis il y a les beaux matins de vacances ou de dimanche, où le temps nous appartient. La cuisine sent bon les œufs brouillés et le pain frais…

pour débuter

les œufs brouillés, pochés, coque, au plat, au four

les omelettes et quelques garnitures

les toasts ou les céréales

matins légers aux fruits

muffins et cakes sucrés ou salés

les pancakes

des cocktails ou des jus frais

Pour cette recette, choisissez des œufs bio. La qualité du

les œufs brouillés

1 Mélangez dans un bol 2 œufs et 4 cuillerées à café de crème fraîche. Ajoutez 1 pincée de sel fin et fouettez vivement.

2 Faites chauffer une petite poêle antiadhésive à feu assez vif. Faites-y fondre 2 noix de beurre en l'étalant bien sur toute la surface de la poêle. Ajoutez les œufs battus et laissez-les cuire à feu moyen. Dès qu'ils commencent à prendre sur les bords de la poêle, ramenez-les vers le centre avec une spatule en bois. Baissez le feu si vous estimez qu'ils cuisent trop rapidement.

3 Laissez-les cuire doucement sans cesser de les mélanger délicatement comme indiqué précédemment. Quand ils sont cuits à votre convenance, retirez la poêle du feu et faites-les glisser sur une assiette. Servez avec du pain de campagne grillé et la garniture de votre choix. Pour 1 personne.

conseils et astuces

- Pour réussir à coup sûr les œufs brouillés, ayez une bonne poêle, à fond épais de préférence. La cuisson sera ainsi plus lente et les œufs n'attacheront pas.

- Si vous préparez cette recette pour plus d'une personne, faites cuire les œufs en plusieurs fois.

- Vérifiez la date de ponte et choisissez toujours des œufs extra-frais car dans cette recette ils seront servis juste cuits. Réservez les œufs de plus de huit jours pour les gâteaux ou les gratins.

des œufs très frais, de préférence
produit fera toute la différence.

les œufs

pochés

Achetez impérativement des œufs extra-frais. Versez de l'eau froide dans une sauteuse jusqu'à mi-hauteur. Ajoutez 1 cuillerée à soupe de vinaigre de vin blanc et faites chauffer jusqu'au point d'ébullition. Cassez 1 œuf dans une soucoupe puis faites-le glisser délicatement dans l'eau frémissante. Baissez le feu et laissez cuire 5 minutes. Retirez l'œuf avec une écumoire et égouttez-le sur du papier absorbant. Servez avec du pain complet ou aux céréales. Pour 1 personne.

coque

Sortez 2 œufs du réfrigérateur 30 minutes avant de les faire cuire pour qu'ils soient à température ambiante. Versez de l'eau froide dans une petite casserole, en quantité suffisante pour couvrir les œufs, et portez à ébullition. Baissez alors le feu pour que l'eau soit juste frémissante. Avec une grande cuillère, déposez délicatement les œufs un à un dans la casserole. Laissez-les cuire 5 minutes à très petits bouillons puis sortez-les. Comptez 1 minute de plus pour des œufs plus fermes. Servez aussitôt avec du sel, du poivre et du pain beurré découpé en mouillettes. Pour 2 personnes.

Pour déguster les œufs, jouez la carte de la

au plat

Mettez 2 cuillerées à soupe d'huile végétale et 1 noix de beurre dans une petite poêle antiadhésive. Faites chauffer à feu assez vif. Quand le beurre commence à mousser, cassez 1 œuf dans la poêle puis réduisez le feu. Laissez cuire 1 minute en versant un peu de beurre et d'huile sur le jaune pour le faire cuire. Retirez l'œuf de la poêle et servez-le avec du sel, du poivre, et du pain beurré. Pour 1 personne.

au four

Préchauffez le four à 180 °C. Beurrez généreusement deux ramequins de 8 cm de haut et mettez-les dans un plat allant au four. Versez de l'eau dans le plat jusqu'à mi-hauteur. Mélangez dans un récipient 4 œufs, 1 cuillerée à soupe de ciboulette ciselée et 2 cuillerées à soupe de parmesan râpé. Fouettez vivement. Répartissez les œufs battus entre les ramequins et faites-les cuire 15 minutes au four; ils doivent être fermes. Pour 2 personnes.

simplicité : sel, poivre, beurre frais et pain grillé.

les omelettes

1 Cassez 3 œufs en séparant les blancs des jaunes. Montez les blancs en neige ferme au batteur électrique avant d'incorporer délicatement les jaunes, sans trop mélanger.

2 Faites chauffer une poêle antiadhésive à feu moyen. Faites-y fondre ensuite 1 noix de beurre. Quand ce dernier commence à mousser, versez délicatement les œufs. Avec une spatule, ramenez-les doucement vers le centre dès qu'ils commencent à prendre. Attention, il ne s'agit pas de les mélanger comme les œufs brouillés.

3 Quand les œufs sont presque cuits, cessez de les remuer et gardez-les 1 minute à feu moyen. Pliez ensuite délicatement l'omelette en deux avant de la faire glisser sur une assiette. Servez avec une salade de roquette ou des pousses d'épinards. Garnissez de ciboulette fraîche ciselée. Pour 2 personnes.

conseils et astuces

- Vous pouvez garnir cette omelette avec du fromage râpé, des herbes fraîches, des oignons fondus ou des champignons sautés. Répartissez cette garniture au centre de l'omelette juste avant de la plier.

- Si vous devez préparer plus d'omelette, procédez en plusieurs fois. Si vous faites une seule omelette dans une poêle trop grande, vous aurez davantage de mal à la garder entière et présentable.

- Pour une recette express, cassez les œufs sans les séparer et fouettez-les vivement. Laissez-les cuire à feu doux jusqu'à ce que la base soit presque ferme. Ajoutez un peu de fromage râpé et d'herbes ciselées au centre, faites glisser l'omelette dans un grand plat allant au four et finissez la cuisson sous le gril pour que le fromage dore bien.

quelques garnitures

champignons sautés

Émincez 400 g de champignons bruns et mettez-les dans une poêle avec 2 noix de beurre, 1 gousse d'ail pilée et 1 pincée de sel. Laissez chauffer à feu moyen. Quand le beurre commence à mousser, couvrez et baissez le feu. Continuez la cuisson 10 minutes à feu doux. Retirez du feu et poivrez au moulin. Pour 4 personnes en garniture.

haricots au four

Faites tremper une nuit entière 500 g de haricots secs dans de l'eau froide. Le lendemain, préchauffez le four à 180 °C. Mélangez dans une casserole 400 g de tomates concassées en boîte, 3 cuillerées à soupe de mélasse, 3 cuillerées à soupe de sucre roux, 1 cuillerée à café de graines de moutarde moulues, 750 ml d'eau et 1 cuillerée à café de sel. Poivrez au moulin. Portez à ébullition puis retirez la casserole du feu. Laissez reposer. Émincez 3 tranches de bacon avant de les mettre dans une cocotte. Égouttez les haricots et mettez-les dans la cocotte avec le mélange à la tomate. Couvrez. Laissez cuire 6 heures au four en remuant de temps en temps pour éviter que les haricots n'attachent. Ajoutez un peu d'eau si nécessaire. Pour 8 à 10 personnes en garniture.

épinards sautés

Lavez 500 g d'épinards à l'eau froide. Retirez les tiges et détaillez grossièrement les feuilles. Faites fondre 1 noix de beurre à feu moyen dans une casserole avant d'ajouter les épinards. Couvrez et laissez cuire 2 minutes. Retirez du feu. Salez et poivrez à votre convenance. Pour 4 personnes en garniture.

tomates rôties

Préchauffez le four à 180 °C. Coupez en deux dans la longueur 2 tomates olivettes bien mûres et mettez-les dans un petit plat allant au four, sur une feuille de papier sulfurisé. Parsemez de thym frais ciselé, salez et poivrez. Versez un peu d'huile d'olive sur chaque moitié de tomate, enfournez et laissez cuire 40 minutes. Pour 2 personnes en garniture.

les toasts

Les choses les plus simples offrent mille occasions de se faire plaisir. Après des années de préparations culinaires complexes et astreignantes, on redécouvre le bonheur de savourer un pain artisanal, frais ou grillé, nature ou beurré, en l'accompagnant de tomates bien mûres, d'une bonne huile d'olive, d'un fromage bien choisi, de légumes simplement sautés… En quelques gestes, la table offre un délicieux brunch qui ravira même les plus difficiles.

On trouve désormais dans le commerce une grande variété de pains (aux fruits, aux noix, aux céréales, aux olives, pains gris ou noirs, pains de seigle, d'épeautre ou de quinoa, focaccia ou fouasse, brioches, pains turcs) mais on ne sait pas toujours avec quoi les marier. Voici quelques idées pour ne pas commettre d'impair…

un peu plus qu'un toast

Nous laissons à chacun le soin de choisir le mode de cuisson pour obtenir le pain grillé de ses rêves mais nous proposons quelques associations originales et surtout toujours savoureuses.

- Faites griller des morceaux de pain turc et garnissez-les de ricotta mélangée avec un peu de miel liquide et une pincée de cannelle moulue. Servez avec des quartiers de pêche ou de nectarine.
- Faites griller une tranche de brioche, étalez du yaourt à la grecque dessus et garnissez d'une compote de fruits en morceaux. Saupoudrez de sucre glace.
- Servez des tranches de pain grillé avec des haricots au four (p. 20), un peu de fromage râpé et quelques feuilles de roquette.
- Servez des tranches de pain aux fruits (raisin, figue…) grillées avec du yaourt à la grecque et une compote de rhubarbe (p. 27).
- Un grand classique : écrasez un peu d'avocat bien mûr sur du pain complet, versez dessus un peu de jus de citron et assaisonnez de poivre noir fraîchement moulu.
- Ambiance méditerranéenne : sur une tranche de pain italien grillé (ciabatta), disposez quelques fines tranches de tomates bien mûres, nappez-les d'une très bonne huile d'olive, salez et poivrez, décorez de feuilles de basilic. Ajoutez un peu d'olives noires et de feta pour une version grecque, un peu d'avocat en tranches pour une version « cuisine du monde ».

- Faites griller du pain de mie aux céréales et garnissez-le de banane en fines tranches. Ajoutez un filet de jus de citron et un peu de sucre roux.
- Mélangez un peu de beurre ramolli, de la cannelle moulue et du sucre roux, étalez le tout sur des tranches de brioche et faites dorer sous le gril du four. À déguster sans attendre avec des fruits rouges.

un petit-déjeuner consistant

Quelques idées pour ceux qui ont besoin d'énergie pour démarrer une journée chargée ou pour ceux qui aiment les brunchs après une matinée paresseuse.

- Disposez des tomates grillées concassées sur du pain toasté et saupoudrez de fromage râpé. Passez sous le gril du four jusqu'à ce que le fromage soit fondu et servez avec des tranches de bacon dorées à sec dans une poêle. Ou bien mélangez les tomates avec de la feta émiettée et un peu de tapenade et servez avec du pain de campagne grillé.
- Faites griller du pain complet et garnissez-le d'une fine tranche de jambon blanc et de champignons sautés. Nappez avec le beurre de cuisson des champignons et servez avec des pousses de roquette ou d'épinards.
- Sur une tranche de pain complet grillé, disposez une pleine cuillerée d'épinards sautés, saupoudrez de fromage râpé (gruyère ou emmenthal) et passez les toasts sous le gril du four pour faire dorer le fromage. Saupoudrez de poivre grossièrement moulu.
- Sur un quartier de focaccia (p. 60), déposez une fine tranche de salami, des copeaux de provolone (fromage italien), des quartiers d'artichauts marinés et de fines tranches de tomates. Faites dorer au four. Versez un peu d'huile d'olive.
- Faites griller 2 tranches de pain de mie, nappez-les de mayonnaise et garnissez-les de bacon croustillant (grillé à sec dans une poêle) puis de fines tranches de tomate. Servi avec du jus de tomate au Tabasco (ou un bloody mary pour les amateurs de sensations fortes), c'est un excellent reconstituant…
- Creusez un disque au centre d'une grande tranche de pain de mie et faites-la revenir dans un peu d'huile d'olive. Cassez un œuf au centre. Quand l'œuf commence à prendre et que la base du pain a bien doré, retournez le tout pour le faire cuire sur l'autre face. Quelques gouttes de sauce au piment relèveront le mélange.

les céréales

couscous sucré

Mettez dans une casserole 175 g de couscous, 3 cuillerées à café de miel liquide et 500 ml d'eau bouillante. Couvrez et laissez cuire 5 minutes à feu doux. Quand tout le liquide est absorbé, retirez la casserole du feu et aérez la graine avec une fourchette. Couvrez à nouveau et laissez reposer 10 minutes. Ajoutez alors 1/2 cuillerée à café de cannelle en poudre, 1 zeste d'orange finement râpé, 3 cuillerées à soupe de raisins secs et 3 cuillerées à soupe d'amandes légèrement grillées et grossièrement hachées. Mélangez. Servez avec du yaourt nature. Pour 4 personnes.

müesli

Mélangez dans un récipient 200 g de flocons d'avoine et 250 ml de jus de pomme. Laissez gonfler une nuit entière. Épluchez 2 pommes vertes et coupez-les en très petits morceaux. Ajoutez-les aux flocons d'avoine, parfumez avec 1/2 cuillerée à soupe de cannelle moulue puis ajoutez 125 g de yaourt. Mélangez et servez avec des framboises fraîches ou de la compote de framboises (p. 27). Pour 4 personnes.

riz gluant noir

Faites tremper 200 g de riz noir pendant 1 heure dans
de l'eau froide puis égouttez-le et rincez-le abondamment.
Mettez-le ensuite dans une casserole avec 500 ml d'eau,
portez à ébullition en remuant de temps à autre puis baissez
le feu. Couvrez et laissez frémir 35 minutes. Retirez du feu
et incorporez 4 cuillerées à soupe de sucre roux ou de sucre
de palme râpé, 1 pincée de sel et 125 ml de lait de coco.
Laissez à nouveau frémir 10 minutes à feu moyen puis retirez
la casserole du feu et laissez refroidir. Servez avec des
tranches de papaye ou de mangue et nappez le riz d'un peu
de lait de coco. Pour 4 personnes.

müesli au miel et aux fruits secs

Préchauffez le four à 150 °C. Mélangez dans un récipient
500 g de flocons d'avoine, 125 g de graines de tournesol
grillées non salées, 125 g d'amandes grillées, 100 g
de flocons de seigle, 60 g de noix de coco râpée et
2 cuillerées à soupe de graines de sésame. Remuez. Faites
chauffer à feu doux 250 g de miel et 4 cuillerées à soupe
d'huile végétale dans une petite casserole puis versez ce
sirop chaud sur les céréales. Mélangez bien. Étalez la
préparation sur une plaque de cuisson légèrement huilée
et faites-la cuire 30 minutes au four, en remuant de temps
à autre. Laissez refroidir hors de four avant d'y incorporer
50 g d'abricots secs, 25 g de tranches de pomme séchées
et 50 g de pêches séchées, le tout émincé très finement.
Mélangez. Conservez ce müesli dans un récipient
hermétique. Pour 12 personnes.

matins légers

Si vous aimez commencer la journée sur une note légère, optez pour les fruits frais. Associés à des mélanges de céréales ou du pain complet, ils favoriseront un réveil tonique et sain.

Choisissez les fruits les plus beaux et respectez les saisons. La nature fait bien les choses en proposant un large choix pour chaque période de l'année. Même si vous rêvez de fraises en hiver, restez patient car celles que vous pourrez trouver sur les étals n'auront jamais le goût des fraises de saison. En été et au début de l'automne, vous trouverez une très grande variété de fruits à consommer crus. Au cœur de l'hiver et au début du printemps, si vous êtes lassé des pommes, oranges et clémentines, regardez vers les mangues, les litchis et les ananas ou préparez des compotes parfumées en jouant avec les épices.

Mariez les fruits avec des graines ou des céréales en choisissant de préférence ces dernières dans les magasins diététiques : elles sont pauvres en graisse et en sel. Vous pouvez aussi aller au plus simple en dégustant vos fruits avec des tranches de pain complet ou aux céréales.

des idées pour toute l'année

Voici quelques idées pour un petit-déjeuner sain et plein de fraîcheur. On le déguste nature ou avec un peu de thé ou de café.

- Disposez en couches successives dans un bol du müesli, des fruits de saison et du yaourt (entier ou bulgare).
- Servez un couscous sucré (p. 24) avec des fruits frais et du yaourt ou du fromage blanc.
- Mariez un porridge tiède saupoudré de sucre roux avec une banane en fines tranches et de la compote de rhubarbe (ci-contre) ou de pomme et cannelle.

fruits d'été

Fêtez l'été avec de généreuses salades de fruits frais ou des compotes à peines cuites.

- Coupez en tranches fines une sélection de fruits à noyaux (pêches, abricots, nectarines…) et mettez-les dans un saladier avec du jus d'orange frais, un filet de jus de citron vert et la pulpe d'un fruit de la passion. Mélangez. Dégustez nature ou servez séparément du fromage blanc et du müesli ou un peu de couscous sucré (p. 24).

- Coupez en quatre 6 belles prunes et mettez-les dans une casserole avec 3 cuillerées à soupe d'eau, 2 cuillerées à soupe de sucre et 1 gousse de vanille fendue en deux. Faites cuire jusqu'à ce que les prunes commencent à se défaire. Dégustez avec de la brioche grillée ou du yaourt.
- Coupez des pêches en deux et saupoudrez-les de sucre. Faites-les caraméliser quelques minutes sous le gril du four. Servez avec du yaourt et du pain aux céréales.
- Dans une assiette, disposez de fines tranches d'ananas, de mangue, de papaye et de banane. Mixez 3 cuillerées à soupe de pistaches grillées non salées, 3 cuillerées à soupe de noix de coco séchée légèrement grillée et 2 cuillerées à soupe de sucre de palme râpé. Mixez pour obtenir une sorte de chapelure. Saupoudrez-en le dessus de la salade de fruits et servez avec des quartiers de citron vert.

fruits d'hiver

Si vous aimez les fruits, ne changez pas vos habitudes en hiver. Vous pouvez préparer les compotes ou fruits pochés la veille et les garder au réfrigérateur. Sortez-les à température ambiante 30 minutes avant de les déguster. Et si vous gardez la nostalgie des fruits d'été, achetez-les surgelés : ils sont cueillis en pleine saison et conservent tous leurs parfums…

- Mettez dans une casserole 250 g de fraises surgelées, 2 cuillerées à soupe de sucre roux, 1 cuillerée à soupe de jus de citron et 3 cuillerées à soupe d'eau. Portez à ébullition puis baissez le feu et laissez frémir 10 minutes. Quand le mélange est tiède, dégustez-le avec de la brioche grillée, du yaourt ou des pancakes (p. 32).
- Nettoyez 500 g de tiges de rhubarbe et coupez-les en tronçons de 5 cm. Mettez-les dans une casserole inoxydable avec 3 cuillerées à soupe de sucre et 3 cuillerées à soupe d'eau. Couvrez et laissez mijoter 10 minutes à feu moyen. Laissez refroidir hors du feu. Servez avec du yaourt à la grecque, du müesli, de la brioche grillée ou du riz crémeux (p. 25).
- Pour les compotes, choisissez plutôt des pommes acides et à chair assez ferme. Épluchez-les, coupez-les en quatre et enlevez les pépins. Mettez-les dans une casserole en versant un peu d'eau au fond (ou du jus de pomme). Ajoutez 1 gousse de vanille fendue en deux et 1 bâton de cannelle. Laissez cuire à feu moyen jusqu'à ce que les quartiers de pommes se défassent. Servez tiède ou froid avec du fromage blanc nappé d'extrait de vanille. Cette compote est encore meilleure si vous avez fait fondre les pommes dans du beurre (mais elle est moins légère).

Préparés avec des fruits frais,

les muffins

1 Préchauffez le four à 180 °C. Mélangez dans un récipient 2 œufs,
2 cuillerées à soupe de miel liquide, 1 cuillerée à soupe de sucre en poudre
et 3 cuillerées à soupe d'huile végétale. Mélangez les ingrédients avec une
cuillère en bois : la pâte ne doit pas être parfaitement lisse. Coupez en deux
une pomme verte. Retirez la peau sur une des moitiés puis détaillez-la
finement et ajoutez-la à la pâte avec 185 ml de lait et 150 g
de myrtilles (fraîches de préférence). Mélangez.

2 Tamisez 250 g de farine, 1 cuillerée à café de cannelle moulue et
2 cuillerées à café de levure dans un récipient. Incorporez ensuite
progressivement ce mélange à la pâte puis répartissez le tout dans six
moules à muffins.

3 Émincez l'autre moitié de pomme en très fines tranches (en gardant la peau)
et garnissez-en le dessus des muffins. Saupoudrez ces derniers d'un peu de
sucre en poudre avant de les faire cuire 30 minutes au four. Pour 6 muffins.

conseils et astuces

- Pour réussir les muffins, évitez de trop battre la pâte : quand elle est lisse,
  elle devient compacte à la cuisson. Contentez-vous simplement de mélanger
  les ingrédients.

- Les muffins sont traditionnellement préparés avec des myrtilles mais vous
  pouvez les remplacer par des framboises, des fraises ou des raisins secs
  selon la saison. Vous pouvez également utiliser des fruits surgelés (ne les
  décongelez surtout pas car ils rendraient la pâte trop humide).

- Les muffins sont meilleurs quand on les mange le jour même, tièdes de
  préférence. Si vous devez les faire réchauffer, utilisez un four traditionnel
  plutôt qu'un micro-ondes.

les muffins ouvrent en beauté la journée.

cakes sucrés ou salés

cake à la banane

Préchauffez le four à 180 °C. Mélangez dans un récipient
90 g de beurre ramolli, 115 g de sucre en poudre, 2 œufs,
1 cuillerée à café d'extrait de vanille, 250 g de farine,
2 cuillerées à café de levure, 2 bananes en morceaux et
1 zeste d'orange râpé. Mixez pour obtenir une pâte aérée.
Versez-la dans un moule rectangulaire légèrement graissé
et tapissé de papier sulfurisé. Faites cuire 1 heure au four.
Pour vérifier la cuisson, piquez le centre avec la lame d'un
couteau fin : elle doit ressortir sèche. Laissez refroidir. Pour
servir, découpez le cake en tranches fines que vous pouvez
déguster nature, toastées et légèrement beurrées ou
nappées de miel.

cake salé à la polenta

Préchauffez le four à 180 °C. Faites chauffer à feu doux dans
une casserole 125 ml de lait et 90 g de beurre. Dans un autre
récipient, fouettez 2 œufs, 125 ml de babeurre, quelques
feuilles de coriandre ciselées et 2 piments rouges finement
hachés. Tamisez dans un récipient 250 g de farine,
2 cuillerées à café de levure et 2 cuillerées à café de
bicarbonate de soude. Ajoutez 250 g de polenta fine et
1 cuillerée à café de sel. Formez un puits au centre. Versez-y
le mélange à la coriandre puis ajoutez le lait tiède. Travaillez
les ingrédients pour obtenir une pâte homogène.
Répartissez-la dans un moule rond légèrement graissé.
Faites cuire 25 minutes au four. Laissez refroidir. Servez avec
du bacon frit et des tomates rôties.

cake au lait de coco

Préchauffez le four à 180 °C. Mélangez dans un récipient
2 œufs et 300 ml de lait. Faites fondre 70 g de beurre doux.
Tamisez dans un récipient 300 g de farine, 2 cuillerées à café
de levure et 2 cuillerées à café de cannelle moulue.
Incorporez 225 g de sucre en poudre et 150 g de noix
de coco râpée. Formez un puits au centre puis versez
progressivement le mélange lait-œufs en mélangeant bien
puis versez le beurre fondu. Travaillez les ingrédients pour
obtenir une pâte homogène. Versez-la dans un moule
rectangulaire. Faites cuire 1 heure au four. Laissez refroidir
dans le moule. Servez en toasts légèrement beurrés.

pain aux noix

Préchauffez le four à 200 °C. Mélangez dans un récipient
450 g de farine, 1 pleine cuillerée à café de bicarbonate
de soude, 1 cuillerée à café de levure, 1 cuillerée à soupe de
sucre en poudre et 1 cuillerée à café de sel fin. Formez un
puits au centre puis versez-y petit à petit 500 ml de babeurre
en ramenant la farine vers le milieu pour obtenir une pâte
homogène. Ajoutez 4 cuillerées à soupe de noix
grossièrement hachées et mélangez. Faites fondre 2 noix
de beurre pour en badigeonner le fond et les côtés d'un
moule à cake. Versez la pâte dans le moule. Faites cuire
30 minutes au four puis baissez le thermostat à 150 °C.
Laissez cuire encore 30 minutes. Démoulez le cake sur
une grille métallique pour le faire refroidir. Servez en tranches
grillées avec du beurre, de la confiture d'abricot, du miel
ou de la faisselle.

les pancakes

1 Tamisez 125 g de farine à levure incorporée dans un récipient, ajoutez 2 cuillerées à soupe de sucre en poudre et formez un puits au centre. Dans un autre récipient, battez 2 œufs et 185 ml de lait avant de les mélanger avec la farine pour obtenir une pâte homogène. Laissez reposer 10 minutes.

2 Faites chauffer une crêpière ou une poêle antiadhésive à feu moyen. Graissez-la légèrement avec un peu de beurre puis versez-y quelques cuillerées de pâte en prenant soin qu'elles ne se touchent pas.

3 Faites cuire les pancakes 1 minute pour que la base soit dorée puis retournez-les avec une spatule. Laissez-les cuire 1 minute de l'autre côté. Répétez l'opération jusqu'à ce qu'il ne reste plus de pâte. Dégustez aussitôt, avec du sirop d'érable.

conseils et astuces

- Mélangez un peu de beurre ramolli avec un ingrédient de votre choix : noix ou noisettes grillées et broyées, raisins secs, zeste d'orange ou de citron vert, cannelle… Étalez la préparation sur du film alimentaire, formez un rouleau régulier et mettez-le au frais pour le faire raffermir. Découpez-le en petits disques dont vous garnirez le centre de chaque pancake chaud.

- Répartissez quelques fines tranches de banane ou quelques myrtilles sur le pancake pendant que la base finit de cuire. Retournez-le et faites-le dorer sur l'autre face (les fruits vont s'enfoncer dans la pâte).

- Pour une variante salée, remplacer le sucre par du sel et des fines herbes ou encore par des courgettes finement râpées. Servez avec du jambon cru ou du saumon fumé.

- En modifiant légèrement la recette, vous obtiendrez une pâte à crêpe : tamisez 60 g de farine dans un récipient puis ajoutez 1 pincée de sel et 1 cuillerée à café de sucre en poudre. Dans un autre récipient, battez 2 œufs avec 250 ml de lait. Versez le tout sur la farine en fouettant vivement pour obtenir une pâte lisse et fluide. Laissez-la reposer 30 minutes avant de faire cuire les crêpes.

le goût du luxe

Quelques occasions rares sont propices à des brunchs pleins de faste. Pour ouvrir une belle journée d'anniversaire, fêter quelqu'un de très cher, s'offrir un dimanche en amoureux, imaginer enfin un lendemain de réveillon hors des sentiers battus… Champagne, saumon fumé, caviar, fruits rares : improvisez en toute liberté autour du pancake en jouant la carte de la rareté. Vous pouvez aussi servir des cocktails originaux et colorés, préparés avec des fruits délicats ou peu courants…

des bulles pour ouvrir la fête

- Mélangez dans une flûte à champagne du vin pétillant et quelques framboises fraîches. Servez avec une longue cuillère. Vous pouvez également mélanger le vin avec un peu de jus d'orange frais ou du jus de pêche.
- Si vous choisissez d'offrir du champagne, servez-le nature. Aussi originaux ou délicats qu'ils puissent être, les mélanges effacent le goût de ce vin si savoureux.
- Pour préparer vos cocktails, utilisez de préférence le jus d'oranges fraîchement pressées. On trouve certes dans le commerce des jus très savoureux, mais rien ne vaut le pur jus d'orange…

saumon et caviar

- Achetez du saumon fumé et servez-le avec des pancakes parfumés aux herbes fraîches, du pain aux céréales grillé, du pain noir… Accompagnez de crème fraîche à l'aneth, de fines tranches d'avocat et de quartiers de citron.
- Disposez des tranches de saumon fumé sur des assiettes et accompagnez-le d'œufs brouillés.
- Faites griller des tranches de brioche et garnissez-les de saumon fumé et d'un œuf poché par tranche. Assaisonnez de poivre fraîchement moulu et servez avec de la roquette.
- Le summum du luxe sera un brunch au caviar. Achetez-le dans une bonne épicerie fine. Le beluga est de loin le plus cher mais il est aussi le plus délicat au goût. Servez-le nature, avec une coupe de champagne. Présentez-le dans de coupelles ou dans des cuillères en porcelaine. Vous pouvez l'accompagner de blinis tièdes.
- À défaut de caviar, achetez des œufs de lump ou de saumon, nettement plus abordables. Vous pourrez en garnir généreusement des œufs brouillés et donner ainsi une note colorée et originale à votre brunch. Servez-les dans leurs coquilles (prenez soin de ne pas briser la coquille en cassant les œufs) et présentez-les dans de jolis coquetiers. Œufs de lump ou de saumon sont parfaits également pour décorer des œufs pochés sur un lit d'épinards sautés.
- Dans un registre assez proche mais rarement proposés au cours d'un brunch, essayez les harengs fumés. Faites-les griller légèrement au four et accompagnez-les de toasts beurrés et de quartiers de citron. Vous pouvez également les mixer avec un peu de crème fraîche et de ciboulette (retirez bien les arêtes avant de les couper en morceaux). Vous obtiendrez une préparation moins lisse en les écrasant à la fourchette. Ne salez pas mais assaisonnez avec du poivre grossièrement moulu.

quelques douceurs

Pour les becs sucrés, proposez une note chocolatée. Choisissez un excellent chocolat, noir de préférence et légèrement amer.

- Râpez le chocolat et mettez-le dans des verres. Versez dessus du lait très chaud et mélangez. Servez avec des petits croissants, des brioches au beurre, des tortillons de pâte feuilletée au sucre…
- Mélangez du chocolat râpé avec de la cannelle moulue et un peu de sucre roux. Pour une note plus tonique, remplacez la cannelle par du gingembre moulu. Servez avec des pancakes très chauds pour que le chocolat fonde rapidement et puisse s'étaler.

des cocktails ou des jus frais

lait de poule

Mixez 250 ml de lait, 1 cuillerée à soupe de yaourt nature, 1 œuf frais bio et 1 cuillerée à soupe de miel, jusqu'à ce que le miel soit dissous. Versez dans un verre glacé et buvez immédiatement. Pour 1 verre.

lassi banane et cardamome

Ouvrez 1 gousse de cardamome et mettez toutes les petites graines noires dans le bol d'un mixeur. Ajoutez 1 banane en morceaux, 125 g de yaourt nature et 1 bac de glaçons. Mixez jusqu'à obtention d'un mélange velouté. Servez dans des verres glacés. Pour 2 verres.

Pour les gens pressés, voici quelques boissons

velouté de poires et miel

Pelez 2 poires mûres, retirez le cœur puis coupez la chair
en morceaux. Mettez-la dans le bol du robot avec 1 cuillerée
à soupe de miel, 120 g de yaourt nature et 8 glaçons. Mixez
pour obtenir un mélange onctueux. Versez dans des verres
hauts. Pour 2 verres.

chocolat chaud

Faites fondre à feu doux 125 g de chocolat noir en
morceaux. Répartissez-le dans deux verres en nappant les
bords de chocolat fondu. Faites chauffer 400 ml de lait puis
versez-le dans les verres. Servez sans mélanger.
Pour 2 verres.

classiques en guise de petit-déjeuner.

des cocktails ou des jus frais

velouté de rhubarbe

Mixez 250 g de compote de rhubarbe, 375 g de yaourt
nature, 1/2 cuillerée à café de cannelle et 16 glaçons. Quand
le mélange est onctueux, versez-le dans des verres glacés.
Dégustez immédiatement. Pour 4 verres.

velouté de banane et miel

Mixez 1 banane en gros morceaux, 180 g de yaourt nature,
1 cuillerée à soupe de miel, 1 bonne pincée de noix de
muscade et 8 glaçons. Le mélange doit être onctueux.
Servez immédiatement. Pour 2 verres.

Pour démarrer du bon pied, on pourra déguster

velouté de fruits rouges

Mixez 70 g de fraises, 70 g de mûres et 70 g de framboises,
60 ml de sirop de sucre, 3 cuillerées à soupe de yaourt
nature et 6 glaçons. Quand le mélange est onctueux, versez
dans des verres glacés. Pour 2 verres.

velouté de figues et miel

Mixez 2 figues violettes bien mûres (grossièrement hachées),
1 cuillerée à soupe de miel, 180 g de yaourt nature et
8 glaçons. Versez le mélange onctueux dans les verres et
décorez de noisettes hachées. Pour 2 verres.

de savoureux milk-shakes aux fruits frais.

des cocktails ou des jus frais

frappé à la mangue

Mélangez 1 mangue pelée et dénoyautée, 250 ml de nectar d'abricot, 6 fraises et 6 glaçons. Mixez pour obtenir un mélange onctueux. Versez dans des verres hauts. Pour 2 verres.

jus melon-ananas

Mixez 250 ml de jus d'ananas frais, 250 g de melon en gros morceaux, 1 cuillerée à soupe de jus de citron vert et 6 glaçons jusqu'à obtenir un mélange lisse et mousseux. Servez immédiatement. Pour 2 verres.

jus de gingembre et melon

Mélangez 1 cuillerée à soupe de gingembre frais haché, 250 g de melon en morceaux, 120 ml de jus d'orange et 8 glaçons. Mixez tous ces ingrédients pour obtenir un mélange onctueux. Versez dans des verres hauts. Pour 2 verres.

bloody mary

Mélangez dans un saladier 150 g de tomates fraîches pelées et finement hachées avec 1 pincée de sel et laissez reposer 30 minutes. Mixez-les avec 80 ml de jus de tomate. Versez dans un shaker avec 60 ml de vodka, 1/4 de cuillerée à café de sauce Worcestershire, 1/4 de cuillerée à café de Tabasco, 1 cuillerée à café de raifort et 1 cuillerée à café de jus de citron vert. Agitez vigoureusement. Servez sur de la glace pilée, décoré d'une branche de céleri et de poivre noir. Pour 1 verre.

des idées pour un brunch

salade de nectarines

salade d'agrumes

muffins à la banane et aux myrtilles

pain perdu à la cannelle

toasts de panettone à la rhubarbe

muffins à l'ananas

gaufres aux pêches

yaourt aux épices et aux fruits frais

salade de fruits secs à l'eau de rose

œufs au four

frittatas de courgettes à la marjolaine

omelette aux épinards et à la ricotta

abricots pochés à la vanille

croquettes de saumon

salade de nectarines

salade d'agrumes

salade de nectarines

8 nectarines dénoyautées et coupées en huit
150 g de framboises
1 c. à soupe de gingembre frais râpé
50 g de sucre roux
1 citron vert pressé

Mettez tous les ingrédients dans un grand saladier et
mélangez délicatement. Laissez reposer 1 heure au frais.
Servez avec de la crème fraîche ou du yaourt nature.
Pour 6 personnes.

salade d'agrumes

3 citrons verts
3 oranges
2 pamplemousses roses
1 gousse de vanille finement hachée
1 c. à café de sucre
250 g de yaourt nature
mélangé avec 3 c. à café de miel liquide

Prélevez les zestes d'1 citron vert et d'1 orange, détaillez-les
finement avant de les mettre dans un saladier. À l'aide d'un
couteau bien aiguisé, pelez les citrons, les oranges et les
pamplemousses à vif. Détaillez-les en quartiers en prenant
soin d'enlever la peau blanche et en travaillant au-dessus du
saladier pour en recueillir le jus. Ajoutez la vanille et le sucre.
Mélangez délicatement. Servez accompagné de yaourt au
miel. Pour 4 personnes.

muffins à la banane et aux myrtilles

250 g de farine
2 c. à café de levure
1/2 c. à café de cannelle moulue
2 bananes grossièrement écrasées
150 g de myrtilles fraîches ou surgelées
3 c. à soupe de miel liquide
2 c. à soupe d'huile végétale
1 œuf
185 ml de lait
du sucre à la cannelle et quelques moitiés de fraises

Préchauffez le four à 180 °C. Tamisez la farine, la levure,
la cannelle et 1 pincée de sel dans un récipient. Ajoutez les
bananes écrasées et les myrtilles (sans les faire décongeler
si vous n'avez pas pu en trouver des fraîches). Remuez.
Dans un autre récipient, mélangez le miel, l'huile, l'œuf battu
et le lait puis incorporez à cette préparation le mélange fruits-
farine. Travaillez rapidement la pâte (elle ne doit pas être
lisse). Répartissez-la entre 8 moules à muffins légèrement
graissés. Saupoudrez de sucre à la cannelle et surmontez
chaque muffin d'une moitié de fraise en l'enfonçant
légèrement dans la pâte. Faites cuire 20 minutes au four.
Servez sans attendre.

De simples fruits composeront une recette
savoureuse si vous les parfumez avec de la vanille
ou un miel excellent.

muffins à la banane et aux myrtilles

pain perdu à la cannelle

5 tranches épaisses de pain de mie sans la croûte
1 œuf
1 c. à soupe de sucre
1 c. à café de cannelle moulue
125 ml de lait
du beurre
du sucre
175 g de yaourt nature
quelques fruits de saison (facultatif)
100 ml de sirop d'érable
2 c. à soupe de noix de pécan légèrement grillées

Coupez chaque tranche de pain en deux. Dans un saladier, battez l'œuf, le sucre et la cannelle puis ajoutez le lait. Faites fondre 2 noix de beurre dans une poêle à feu moyen. Trempez les tranches de pain dans le mélange de lait sucré. Saupoudrez-les de sucre sur une face et faites-les dorer doucement dans la poêle pendant 3 minutes. Retournez-les après avoir saupoudré le dessus d'un peu de sucre. Quand les tranches de pain sont dorées des deux côtés, servez accompagné de yaourt, de fruits, de sirop d'érable et de noix de pécan. Pour 5 personnes.

toasts de panettone à la rhubarbe

6 tiges de rhubarbe épluchées
1/2 c. à café de gingembre frais râpé
1 c. à café de zeste d'orange finement râpé
80 ml de jus d'orange
1/2 gousse de vanille ouverte et grattée
65 g de sucre roux
15 g de beurre doux
12 morceaux de panettone de 2 cm sur 12
du sucre glace

Préchauffez le four à 180 °C. Découpez la rhubarbe en tronçons de 12 cm de long. Dans un plat allant au four, mélangez le gingembre, le zeste et le jus d'orange, la vanille, le sucre roux et le beurre. Mettez au four jusqu'à ce que le beurre fonde, 1 ou 2 minutes. Retirez du four, ajoutez la rhubarbe et remuez le tout afin que les morceaux soient recouverts de ce sirop. Remettez le plat au four et laissez cuire 10 minutes. Retournez les morceaux de rhubarbe et laissez cuire encore 10 minutes. Laissez refroidir. Faites griller les morceaux de panettone et disposez un morceau de rhubarbe sur chacun. Arrosez légèrement de sirop, saupoudrez de sucre glace et servez. Pour 12 toasts.

muffins à l'ananas

160 g de farine
2 c. à café de levure
165 g de sucre
1/2 c. à café de cannelle moulue
110 g de noix de coco râpée
45 g de beurre fondu
190 ml de lait
2 œufs
1/2 ananas épluché et coupé en dés

Préchauffez le four à 180 °C. Tamisez la farine dans un grand saladier, ajoutez la levure et 1 pincée de sel. Versez ensuite le sucre, la cannelle et la noix de coco. Remuez. Formez un puits au centre et versez-y le beurre fondu, le lait et les œufs. Mélangez jusqu'à obtention d'une pâte homogène puis ajoutez les dés d'ananas. Graissez 18 moules à muffins (ou garnissez-les de caissettes en papier) puis versez 1 grosse cuillère à soupe de la pâte dans chaque moule. Faites cuire 15 à 17 minutes, jusqu'à ce que les muffins soient bien dorés. Pour 18 muffins.

gaufres aux pêches

400 ml d'eau
300 g de sucre en poudre
1/2 gousse de vanille fendue en deux et grattée
1 citron pressé
2 grosses pêches dénoyautées, pelées et coupées en huit
16 gaufres

Dans une casserole, laissez bouillir 40 cl d'eau, 125 g de sucre, la vanille et le jus de citron en remuant pour faire dissoudre le sucre. Ajoutez les quartiers de pêches et portez à ébullition. Réduisez le feu et laissez frémir 2 minutes. Réservez les fruits dans un saladier et faites réduire le jus à feu moyen pendant 10 à 15 minutes pour obtenir un sirop épais. Versez-le sur les pêches. Réchauffez les gaufres au four, quelques minutes à feu doux. Pour servir, garnissez chaque gaufre d'un morceau de pêche et arrosez de sirop. Pour 16 gaufres.

yaourt aux épices et aux fruits frais

salade de fruits secs à l'eau de rose

yaourt aux épices et aux fruits frais

2 bâtons de cannelle
2 anis étoilés
2 clous de girofles
2 gousses de vanille fendues en deux
2 gousses de cardamome fendues en deux
250 ml de crème fraîche
1 c. à soupe de sucre en poudre
300 g de yaourt à la grecque
des fruits frais de saison

Mettez dans une petite casserole la cannelle, l'anis étoilé, les clous de girofle, la vanille, la cardamome et la crème fraîche. Faites chauffer à feu doux puis laissez frémir à tout petit feu pendant 30 minutes. Passez la crème dans un tamis pour éliminer les épices puis mélangez-la avec le sucre. Quand elle a complètement refroidi, incorporez le yaourt. Servez avec les fruits frais coupés en morceaux. Pour 6 personnes.

salade de fruits secs à l'eau de rose

70 g de figues sèches
70 g d'abricots secs
70 g de pruneaux dénoyautés
60 g de sucre en poudre
250 ml d'eau
60 ml de jus d'orange
1 bâton de cannelle
2 anis étoilés
1/2 c. à café d'eau de rose
250 g de yaourt nature
150 g d'amandes effilées grillées

Coupez les fruits secs en petits morceaux et versez-les dans un saladier. Dans une casserole, mélangez le sucre, l'eau, le jus d'orange, la cannelle et l'anis étoilé. Portez à ébullition à feu doux, en remuant pour dissoudre le sucre. Laissez frémir 5 à 6 minutes pour obtenir un sirop léger. Retirez du feu et ajoutez l'eau de rose. Versez le liquide sur les fruits (vous pouvez retirer les étoiles d'anis) et laissez imbiber pendant plusieurs heures ou, mieux, toute une nuit. Servez accompagné de yaourt et saupoudré d'amandes effilées. Pour 6 personnes.

œufs au four au jambon et au persil

60 g de beurre
4 tranches de jambon cru finement hachées
4 c. à soupe de persil finement haché
8 œufs
2 c. à soupe de gruyère râpé

Préchauffez le four à 180 °C. Beurrez généreusement quatre ramequins et posez-les dans un plat allant au four à moitié rempli d'eau. Répartissez le jambon cru et le persil dans les ramequins. Cassez les œufs dans une jatte, salez et poivrez. Battez doucement les œufs. Remplissez les ramequins avec l'œuf battu, puis parsemez la préparation de fromage râpé et enfournez. Faites cuire 25 à 30 minutes, jusqu'à ce que les œufs soient juste fermes. Servez avec du pain grillé beurré. Pour 4 personnes.

Parfumez salades de fruits ou mélanges sucrés avec des produits exotiques : cannelle, cardamome, eau de rose...

œufs au four au jambon et au persil

frittatas de courgette à la marjolaine

20 g de beurre
1 oignon rouge finement émincé
1 c. à café de marjolaine fraîche finement hachée
375 g de courgettes râpées
6 œufs
1 c. à soupe d'eau
du poivre blanc
50 g de parmesan fraîchement râpé

Préchauffez le four à 180 °C. Faites fondre le beurre dans une poêle pour y faire revenir l'oignon et la marjolaine 7 à 10 minutes à feu moyen, jusqu'à ce que l'oignon soit fondant et caramélisé. Versez ce mélange dans 24 moules à muffins légèrement huilés puis saupoudrez de courgettes râpées. Battez les œufs en ajoutant la cuillerée à soupe d'eau, salez et assaisonnez avec du poivre blanc. Versez les œufs dans les moules, saupoudrez de parmesan et faites cuire 10 minutes au four. Pour 24 frittatas.

omelette aux épinards et à la ricotta

4 noix de beurre
1 oignon émincé très finement
1/2 c. à café de cumin moulu
1 pincée de noix de muscade fraîchement râpée
500 g de pousses d'épinards lavées et égouttées
6 œufs, blancs et jaunes séparés
2 c. à café de persil plat ciselé
2 c. à café d'aneth ciselé
200 g de ricotta
3 c. à soupe de parmesan fraîchement râpé
du pain de campagne pour accompagner

Faites chauffer une poêle antiadhésive à feu moyen pour y faire fondre 1 noix de beurre. Faites-y revenir les oignons avec le cumin et la muscade. Laissez fondre les oignons avant d'ajouter les épinards. Couvrez et laissez sur le feu encore 2 minutes. Réservez. Montez les blancs d'œufs en neige ferme. Battez les jaunes dans un autre récipient. Égouttez bien les épinards dans un tamis en pressant pour extraire le plus de liquide possible puis mélangez-les avec les jaunes d'œufs, les herbes ciselées et la ricotta. Salez et poivrez. Incorporez enfin les blancs en neige sans trop mélanger.

Faites chauffer la poêle à feu vif et faites-y fondre le reste du beurre. Quand il commence à mousser, versez le mélange aux œufs et réduisez le feu. Laissez cuire 2 minutes environ, saupoudrez de parmesan râpé puis faites glissez l'omelette sur une grande assiette allant au four et faites-la dorer sous le gril jusqu'à ce que le fromage soit fondu. Pour 4 à 6 personnes.

abricots pochés à la vanille

200 g d'abricots secs
1 gousse de vanille fendue en deux
1/2 c. à café d'eau de rose
1 c. à soupe de miel
40 g d'amandes concassées grillées
250 g de yaourt à la grecque

Mettez les abricots dans une casserole avec la gousse de vanille et 60 ml d'eau. Portez à ébullition puis couvrez et laissez mijoter 1 heure à feu doux. Retirez la gousse de vanille avant d'ajouter l'eau de rose et le miel. Servez avec des amandes grillées et du yaourt. Pour 6 personnes.

croquettes de saumon

250 g de filet de saumon sans peau ni arêtes
3 c. à café de zeste de citron finement râpé
2 œufs légèrement battus
125 g de farine
1 c. à café de levure
2 c. à soupe de yaourt nature
20 g de ciboulette ciselée
40 g d'oignons verts ciselés
de l'huile pour la cuisson
quelques quartiers de citron

Hachez grossièrement le saumon puis réservez-le au frais dans un saladier couvert. Dans un autre saladier, mélangez le zeste de citron, les œufs, la farine, la levure et le yaourt. Au moment de faire cuire les croquettes, ajoutez le saumon, la ciboulette et les oignons verts. Salez et poivrez. Faites chauffer une grande poêle à feu moyen et ajoutez 1 cuillerée à soupe d'huile. Versez de pleines cuillerées de pâte dans la poêle et aplatissez-les. Dès qu'une croquette est dorée sur un côté, retournez-la et laissez-la frire de l'autre. Égouttez les croquettes sur du papier absorbant. Servez-les avec des quartiers de citron. Pour 36 croquettes.

secrets de cuisine

Préparer un repas devient un jeu d'enfant pour celui qui sait préparer les choses les plus simples : une tarte salée, quelques tranches de pain grillées et garnies de produits frais, des pâtes avec une sauce légère. Le repas se prépare en quelques minutes, le sourire aux lèvres…

pour débuter

la focaccia et quelques garnitures

la mayonnaise et les sandwichs

la pâte à pizza et quelques classiques

les pâtes fraîches et les sauces de base

secrets de pâtes

la pâte brisée et les tartes salées

réussir les tartes

les fromages et quelques salades

des cocktails ou des jus frais

Rien n'est plus accueillant qu'une

la focaccia

1 Mettez dans un grand saladier 450 g de farine et 1 belle pincée de sel. Mélangez dans un bol 15 g de levure fraîche avec 250 ml d'eau chaude et 1 cuillerée à café de sucre en poudre. Laissez reposer 10 minutes. Quand le mélange commence à mousser, incorporez-le à la farine en ajoutant 3 cuillerées à soupe d'huile d'olive. Mélangez les ingrédients pour obtenir une pâte lisse. Formez une boule et mettez-la sur un plan de travail fariné.

2 Pétrissez la pâte pour la rendre souple et élastique. Mettez-la dans un récipient légèrement huilé et laissez-la reposer 1 heure dans un endroit chaud ; elle doit doubler de volume.

3 Préchauffez le four à 200 °C. Étalez la pâte sur une tôle à pâtisserie légèrement huilée. Avec les doigts, faites de petits creux en surface puis badigeonnez-la avec 2 cuillerées à soupe d'huile d'olive. Saupoudrez de sel fin. Laissez reposer 20 minutes à température ambiante puis faites cuire 20 minutes au four. La focaccia doit être cuite et à peine dorée.

conseils et astuces

- D'origine italienne, la focaccia est une sorte de pain plat dont la pâte est parfumée avec de l'huile d'olive. Son nom varie selon les régions mais le principe reste le même. Pour la réussir à coup sûr, achetez de la levure fraîche chez votre boulanger. La chaleur est un autre atout : si votre cuisine est un peu fraîche, faites reposer la levure près d'un radiateur ou du four tiède.

- Cette recette demande un peu de temps (ne serait-ce que pour laisser reposer la pâte). Planifiez bien votre journée pour pouvoir respecter les durées indiquées. Inversement, ne laissez pas la pâte reposer plus longtemps que nécessaire.

- Pour vérifier si la focaccia est cuite à point, tapotez la surface avec un doigt. Elle doit résonner légèrement.

- Parfumez la focaccia avec des olives noires, des lardons, du thym, des dés de fromage, des oignons revenus à l'huile, des tomates séchées finement hachées… Ajoutez-les quand vous étalez la pâte pour la faire cuire.

cuisine fleurant bon le pain chaud...

quelques garnitures

houmous

Mélangez 175 g de pois chiches cuits rincés et égouttés,
2 cuillerées à soupe de jus de citron, 3 cuillerées à soupe de
tahini, 1 cuillerée à café de cumin moulu, 1 gousse d'ail sans
la peau et 1 pincée de piment de Cayenne. Mixez le tout en
ajoutant un peu d'eau si le mélange est trop épais. Salez et
poivrez à votre convenance. Incorporez 2 cuillerées à soupe
d'huile d'olive. Pour 200 g environ.

tapenade

Mélangez 80 g d'olives noires, 1 gousse d'ail, 1 poignée
de persil plat ciselé, 10 feuilles de basilic, 2 filets d'anchois
à l'huile et 1 cuillerée à café de câpres. Mixez en donnant
plusieurs impulsions : le mélange ne doit pas être lisse.
Ajoutez environ 3 cuillerées à soupe d'huile d'olive (ajustez
la quantité en fonction de la consistance désirée), salez et
poivrez à votre convenance. Pour 120 g environ.

condiment à la tomate

Mélangez dans une casserole 1,5 kg de tomates fraîches pelées et coupées en morceaux, 1 oignon rouge émincé très finement, 3 gousses d'ail pilées, 1 cuillerée à soupe de gingembre frais râpé, 2 cuillerées à café de graines de moutarde jaune, 1/4 de cuillerée à café de piment rouge moulu et 200 ml de vinaigre de vin blanc. Portez à ébullition puis réduisez le feu, couvrez et laissez mijoter 1 heure, en remuant de temps en temps. Ajoutez 250 g de sucre en poudre, remuez et laissez cuire encore 40 minutes, sans couvrir cette fois. Versez le condiment dans des bocaux et gardez au réfrigérateur. Pour 750 g environ.

beurres parfumés

Une idée toute simple à mettre en œuvre et idéale pour accompagner une focaccia tout juste sortie du four ou donner du relief à vos sandwichs. Essayez avec des herbes ciselées (ciboulette, aneth, basilic, persil, coriandre…), du zeste d'orange ou de citron râpé, des tomates confites hachées très finement, des olives, des anchois marinés, certaines épices comme le curry ou le cumin. Mixez-les avec du beurre légèrement ramolli.

Rehaussez vos salades ou

la mayonnaise

1 Cassez 2 œufs et séparez les blancs des jaunes. Mettez les jaunes dans un bol (réservez les blancs pour un autre emploi) avec 1 cuillerée à café de vinaigre de vin blanc ou de jus de citron, 1 cuillerée à café de moutarde de Dijon, du sel et du poivre.

2 Commencez par fouetter ce mélange à la main ou au batteur puis versez de l'huile végétale en un très mince filet, sans cesser de fouetter, pour que la mayonnaise prenne. Il vous faudra environ 250 ml d'huile.

conseils et astuces

● Dans certaines recettes, on ajoute le sel et le poivre à la fin. Nous vous conseillons dans un premier temps de le mélanger aux jaunes d'œufs car il arrive que la mayonnaise tourne quand on la fouette trop longtemps. Quand vous aurez pris le tour de main, vous pourrez ajouter l'assaisonnement à la fin.

● Si votre sauce est restée liquide, mettez 1 jaune d'œuf dans un bol et ajoutez 1 cuillerée à café de mayonnaise ratée. Mélangez délicatement puis incorporez le reste de mayonnaise cuillerée par cuillerée, sans cesser de fouetter. En ajoutant une toute petite quantité d'eau froide, il est également possible de « rattraper » une mayonnaise, à condition de travailler vite.

● Les œufs restant crus, choisissez-les très frais. Dans ces conditions, vous pourrez garder la mayonnaise 5 jours au réfrigérateur (couvrez-la).

● Choisissez une huile au goût plutôt neutre et évitez surtout les huiles de noix, de noisette ou même certaines huiles d'olive très parfumées.

● La rouille provençale est une adaptation parfumée de la mayonnaise. Émiettez 1 tranche de pain de mie un peu rassis. Mettez 1 pincée de safran et 3 cuillerées à soupe d'eau dans une casserole et portez à ébullition. Versez ce liquide sur le pain et laissez gonfler 1 minute avant de mettre le mélange dans le bol du robot. Ajoutez 2 piments rouges frais longs, 1 pincée de paprika, 2 gousses d'ail, du sel et du poivre. Mixez pour obtenir un mélange homogène. Versez petit à petit 125 ml d'huile d'olive, sans cesser de faire tourner le moteur, pour obtenir une sauce épaisse. Servez avec de la soupe de poisson ou de la bouillabaisse.

sandwichs avec une mayonnaise maison.

les sandwichs

Sous ce nom, on peut trouver le meilleur ou le pire. Le pire étant d'ailleurs le plus fréquent : des sandwichs préparés à l'avance et qui ont ramolli dans leur cellophane, des garnitures pas toujours de la plus grande fraîcheur… Dans la mesure du possible, optez pour les sandwichs maison. Vous pourrez les garnir à votre fantaisie et serez toujours sûr de ce que vous mangerez. Si vous avez le temps ou si le cœur vous en dit, essayez avec du pain que vous aurez cuit vous-même : il aura forcément un goût incomparable !

Pour tous les jours, n'hésitez pas à filer chez votre boulanger : le pain, c'est son métier. Et c'est là que vous trouverez les meilleures baguettes, pour des sandwichs classiques. En grandes surfaces, on peut se procurer différents pains « de mie » variés (au seigle, aux céréales, complets) pour les sandwichs « américains ». Enfin, avec un peu d'imagination, jouez toutes les associations pour déguster des compositions aux saveurs les plus exotiques.

Trop souvent décrié par les férus de diététique, le sandwich reste quand même une solution rapide et simple pour ceux qui veulent ou doivent déjeuner rapidement. En choisissant les bons ingrédients et en optant pour du pain complet, il peut s'avérer moins calorique qu'une simple salade surchargée de sauce…

jouer la fantaisie

Avec les sandwichs, presque tous les mélanges sont possibles à condition de savoir marier les saveurs. Voici quelques idées originales pour démarrer :

- saumon fumé, concombre en tranches fines et mayonnaise au citron
- rosbif, fromage, condiment à la tomate (p. 63)
- tomates rôties, aubergines frites et tapenade (p. 62)
- rosbif, cresson frais et mayonnaise à l'ail
- aubergines frites, roquette et houmous (p. 62)
- rosbif, tomates, roquette et pesto
- œufs durs, cresson frais et mayonnaise
- poulet, cornichons et mayonnaise à l'aneth
- agneau rôti, roquette et chutney de mangue
- poulet rôti, aneth et mayonnaise parfumée au zeste d'orange et au curry

le classique

On le prépare de préférence avec une baguette traditionnelle. Quelques amateurs opteront pour les baguettes au levain, aux céréales et autres. Les garnitures sont très simples : jambon à l'os ou jambon cru, rillettes et cornichons, fromage…

Pour une variante plus sophistiquée, commencez par faire rôtir au four une tête d'ail ; quand la chair est tendre, prélevez-la, écrasez-la en purée et mélangez-la avec de la mayonnaise. Étalez-la sur le pain et mariez-la avec de la viande froide (porc, poulet, bœuf, agneau) et quelques feuilles de salade.

sandwichs à la mayonnaise

Pour les inconditionnels de cette sauce, quelques idées pour l'agrémenter… Si vous n'avez pas le temps de préparer une mayonnaise maison, vous trouverez en grandes surfaces des équivalents de bonne qualité (en particulier celles vendues au rayon frais).

- Ajoutez des herbes fraîches, des tomates rôties ou des poivrons grillés, des olives ou des câpres. Ou remplacez le vinaigre par du jus de citron et ajoutez un zeste d'orange ou de citron finement râpé.
- Avant de verser l'huile, ajoutez 1 cuillerée à soupe de tapenade et servez avec du pain grillé frotté d'ail et garni de rosbif.
- Préparez la mayonnaise avec du basilic frais ciselé et garnissez-en un sandwich à l'agneau rôti, aux tomates séchées et à la roquette.
- Préparez une mayonnaise à l'aneth et au citron pour accompagner du saumon fumé.
- Mélangez de la mayonnaise avec de la chair de crabe, des tomates cerises coupées en quatre, de la coriandre, 1 piment rouge finement haché. Tartinez-en des tranches de pain de campagne.
- Mélangez de la mayonnaise avec des câpres pilées, 1 zeste de citron râpé et du poivre noir. Pour garnir un sandwich au saumon fumé (ou aux harengs marinés) et au concombre.
- Préparez une garniture avec du thon au naturel bien égoutté, de la mayonnaise, du persil et des poivrons grillés. Pour garnir du pain italien ou du pain de campagne.

Pétrissez énergiquement la pâte pour vous défouler…

Celle-ci n'en sera que meilleure !

la pâte à pizza

1 Mettez dans un bol 15 g de levure de boulangerie, 1 cuillerée à café de sucre et 4 cuillerées à soupe d'eau chaude. Mélangez puis laissez reposer entre 10 à 15 minutes dans un endroit chaud. La levure doit mousser légèrement ; Tamisez 250 g de farine dans un récipient et formez un puits au centre. Ajoutez 1 œuf battu, 6 cuillerées à café de lait, 1 cuillerée à café de sel et la levure. Mélangez les ingrédients pour obtenir une pâte homogène.

2 Roulez la pâte en boule et mettez-la sur un plan de travail fariné. Pétrissez-la jusqu'à ce qu'elle soit souple et élastique puis mettez-la dans un récipient légèrement huilé (huile d'olive). Couvrez avec un torchon propre et laissez reposer dans un endroit chaud pendant 2 heures. La pâte doit doubler de volume.

3 Préchauffez le four à 200 °C. Divisez la pâte en deux, abaissez chaque portion en un disque fin et mettez-les sur une tôle à pâtisserie légèrement huilée. Garnissez avec les ingrédients de votre choix et faites cuire les pizzas au four pendant 15 minutes.

conseils et astuces

- Vous pouvez doubler les quantités si vous avez besoin de plus de pâte. Au-delà, il est préférable de préparer la pâte en plusieurs tournées car vous aurez du mal à mélanger les ingrédients.

- Vous pouvez préparer la pâte dans un robot électrique. Commencez par mélanger la farine et le sel puis ajoutez les œufs et le lait pour terminer par la levure. Arrêtez de faire tourner le moteur dès que la pâte forme une boule.

- Parfumez la pâte en y introduisant des herbes fraîches (thym, basilic, romarin, origan) ou des olives noires finement hachées.

- Les amateurs de pizza pourront investir dans un mini-four à pizza. La cuisson donne une pâte très croustillante. En vente dans les magasins spécialisés.

pizzas classiques

romana

Préchauffez le four à 200 °C. Détaillez en très fines tranches 500 g de bocconcini ou de mozzarella et répartissez-en la moitié sur deux disques de pâte. Coupez en morceaux 6 filets d'anchois marinés et disposez-en la moitié sur les pizzas. Faites cuire ces dernières 15 minutes au four avant de les garnir avec le reste des anchois et du fromage. Remettez-les au four quelques minutes pour que le fromage fonde. Au moment de servir, nappez-les d'un peu d'huile d'olive et décorez de feuilles de basilic. Pour 4 personnes.

campagnarde

Préchauffez le four à 200 °C. Épluchez 4 pommes de terre moyennes et coupez-les en fines tranches ; disposez ces dernières sur deux disques de pâte. Arrosez généreusement d'huile d'olive et saupoudrez de romarin. Salez à votre convenance avant de faire cuire les pizzas au four pendant 20 minutes. Nappez-les à nouveau d'huile d'olive en les sortant du four et servez sans attendre. Ces pizzas sont délicieuses à l'apéritif ou accompagnées d'une salade verte aux lardons. Pour 4 personnes.

capriciosa

Préchauffez le four à 200 °C. Égouttez 400 g de tomates pelées en boîte et hachez-les grossièrement. Mettez-les dans une casserole avec 2 cuillerées à soupe d'huile d'olive et faites-les cuire 5 minutes à feu moyen. Laissez tiédir avant d'étaler le mélange sur deux disques de pâte. Salez et poivrez, nappez d'un peu d'huile d'olive et faites cuire les pizzas 15 minutes au four. Garnissez-les ensuite avec 250 g de bocconcini en tranches fines, 100 g de jambon haché, 50 g de champignons de Paris émincés, 110 g d'artichauts marinés coupés en tranches et 80 g d'olives noires dénoyautées et coupées en deux. Ajoutez un peu de parmesan râpé et remettez au four quelques minutes pour que le fromage fonde. Pour 4 personnes.

margherita

Préchauffez le four à 200 °C. Égouttez 400 g de tomates pelées en boîte et hachez-les grossièrement. Mettez-les dans une casserole avec 2 cuillerées à soupe d'huile d'olive et faites-les cuire 5 minutes à feu moyen. Laissez tiédir avant d'étaler le mélange sur deux disques de pâte. Salez. Nappez généreusement d'huile d'olive et faites cuire les pizzas 15 minutes au four. Garnissez-les avec 250 g de bocconcini ou de mozzarella en tranches fines et 2 cuillerées à soupe de parmesan fraîchement râpé. Remettez au four quelques minutes pour que le fromage fonde. Décorez de feuilles d'origan frais et servez sans attendre. Pour 4 personnes.

Avec des pâtes fraîches, faites

les pâtes fraîches

1 Mélangez dans un récipient 400 g de farine et 1/2 cuillerée à café de sel.
Ajoutez 4 œufs et mélangez jusqu'à obtention d'une pâte souple.

2 Pétrissez la pâte 10 minutes environ sur un plan de travail fariné pour obtenir
une boule élastique. Divisez cette dernière en quatre et enroulez chaque
portion dans un film alimentaire. Réservez 30 minutes au réfrigérateur.

3 Passez les boules de pâte dans un laminoir en respectant les instructions de
l'appareil (vous obtiendrez différentes sortes de pâtes courtes ou longues, en
rubans plus ou moins larges selon votre choix). Disposez les pâtes sur une
plaque et farinez-les légèrement en les soulevant délicatement à la main pour
les aérer. Laissez-les reposer. Pour 4 portions.

conseils et astuces

● Évitez les endroits trop chauds pour préparer les pâtes car elles risquent
de sécher rapidement.

● Pour faire cuire les pâtes, qu'elles soient fraîches ou sèches, utilisez toujours
un grand faitout car il leur faut beaucoup d'eau et beaucoup de place pour
éviter qu'elles ne collent entre elles. Ajoutez le sel (1 cuillerée à café par litre)
quand l'eau est déjà bouillante et attendez qu'elle soit à nouveau à ébullition
pour y plonger les pâtes. Couvrez pour que l'eau revienne très vite à ébullition
en retirant le couvercle après les premiers bouillons.

● Les pâtes se dégustent de préférence *al dente*, c'est-à-dire tendres tout en
offrant une légère résistance sous la dent. Surveillez de très près le temps
de cuisson pour les pâtes fraîches, qui cuisent en 1 ou 2 minutes. La durée
pourra cependant varier selon la taille des pâtes.

● Comptez environ 100 g de pâtes fraîches par personne (60 g de pâtes
sèches). Vous pouvez augmenter les quantités si vous les servez avec
des légumes ou une légère sauce.

entrer dans la cuisine un parfum d'Italie

sauces classiques pour les pâtes

pesto

Mettez dans un mortier ou dans le bol du robot 125 g
de feuilles de basilic frais, 1 petite poignée de persil plat,
100 g de parmesan fraîchement râpé, 1 gousse d'ail pilée
et 85 g de pignons de pin légèrement grillés à sec (sans
matière grasse dans une poêle antiadhésive). Mixez le tout
(ou écrasez-le au pilon) en ajoutant petit à petit 170 ml
d'huile d'olive pour obtenir une sauce homogène. Servez
avec des pâtes fraîches. Pour 4 personnes.

coulis de tomates rôties

Préchauffez le four à 200 °C. Disposez 6 tomates olivettes
sur une plaque de cuisson et faites-les rôtir jusqu'à ce que la
peau commence à noircir. Mettez-les alors dans un récipient
avec 10 feuilles de basilic, 1 gousse d'ail, 2 cuillerées à soupe
d'huile d'olive, 1 cuillerée à café de vinaigre balsamique et
1 cuillerée à café de sucre en poudre. Mixez jusqu'à
obtention d'une sauce épaisse. Garnissez-en des pâtes
chaudes. Pour 4 personnes.

sauce au citron

Prélevez le zeste de 3 citrons et râpez-le finement. Pressez 2 des citrons et mélangez le jus obtenu avec le zeste râpé, 1 poignée de persil plat, 10 feuilles de basilic, 100 g de parmesan râpé et 3 cuillerées à soupe d'huile d'olive. Mixez le tout. Servez sur des pâtes chaudes. Pour 4 personnes.

champignons sautés

Faites fondre 2 noix de beurre dans une poêle pour y faire revenir 1 gousse d'ail pilée, 400 g de champignons de Paris détaillés en tranches fines et 2 beaux pleurotes émincés. Laissez dorer 5 minutes environ puis ajoutez 1 cuillerée à café de thym frais ciselé et 4 cuillerées à soupe de vin blanc. Prolongez la cuisson encore 1 minute. Mélangez les champignons avec les pâtes de votre choix. Pour 4 personnes.

secrets de pâtes

Les pâtes sont idéales pour un repas improvisé. Ayez en réserve, dans vos placards ou au réfrigérateur, tagliatelles, gnocchis, fusillis, pappadelle et autres pâtes, fraîches ou sèches. Pour un dîner, mariez-les avec une sauce toute simple (p. 74-75) ; pour un déjeuner, n'hésitez pas à les préparer avec du jambon cru, du thon, des câpres, du parmesan, etc. selon l'inspiration du moment.

Les sauces les plus simples peuvent être préparées en un tournemain à condition d'avoir sous la main un minimum d'ingrédients de base. À défaut de tomates fraîches, utilisez des tomates pelées en boîte ou des tomates congelées. Pour les aromates, les rayons surgelés disposent d'un choix varié d'herbes et d'aromates tout préparés. Une boîte de sardines ou quelques anchois mélangés à une sauce tomate composent un accompagnement savoureux. Au réfrigérateur, ayez toujours un peu de roquette ou de cresson frais. Mixés ou grossièrement hachés avec des pignons de pin et du parmesan, ils formeront une sauce originale et vite prête.

Côté pâtes, à vous de sélectionner un assortiment varié. Des pâtes longues pour les sauces légères, des pâtes courtes, creuses ou en tortillons, pour les sauces épaisses (à base de viande par exemple).

les sauces

Une fois que vous aurez en main les recettes de base, vous pourrez les varier à l'infini en y ajoutant les ingrédients de votre choix.

- Coupez en dés des petites aubergines et faites-les revenir dans l'huile d'olive avec de l'ail pilé et quelques lanières de poivron rouge. Dès que les légumes sont tendres, ajoutez une petite boîte de tomates pelées avec leur jus et laissez mijoter au moins 5 minutes pour faire épaissir la sauce. Nappez-en généreusement les pâtes. Accompagnez de basilic ciselé et de parmesan fraîchement râpé.
- Mélangez des pâtes longues très chaudes avec un peu d'huile d'olive, du poivre grossièrement moulu, quelques feuilles de persil plat ciselé, quelques filets d'anchois à l'huile, des olives et du parmesan.
- Servez les pâtes garnies de poivrons grillés en fines lanières, d'anchois marinés, de câpres grossièrement hachées et de basilic.

- Détaillez en rubans fins des petites courgettes (en jetant le cœur s'il n'est pas assez ferme) et faites les revenir rapidement dans de l'huile d'olive avec un peu d'ail. Mélangez avec des tagliatelles. Il faut qu'il y ait autant de courgettes que de pâtes.
- De préférence, servez les pâtes avec du parmesan fraîchement râpé. Ce fromage se garde assez longtemps ; vous pouvez donc en acheter un beau morceau chez votre fromager et le râper au fur et à mesure de vos besoins.

avec du citron…

Le citron se marie très bien avec les pâtes. Essayez pour commencer un peu d'huile d'olive parfumée avec un zeste de citron finement râpé, un filet de jus de citron, sel et poivre. Ou encore un peu de crème fraîche agrémentée d'un zeste de citron. Si le mélange vous plaît, sophistiquez-le en ajoutant une tranche de saumon fumé détaillée en très fines lanières.

la cuisson

Pour réussir les pâtes, il y a quelques règles simples à retenir. Qu'elles soient sèches ou fraîches, il faut toujours les faire cuire dans un grand volume d'eau (1 litre d'eau pour 100 g de pâtes). L'eau doit être bouillante (et non pas frémissante) quand vous les y plongez ; versez-les en pluie pour garantir une cuisson uniforme. Si vous préparez une garniture froide (tomates fraîches et herbes, huile d'olive et citron…), découpez tous les ingrédients à l'avance et mélangez-les juste avant de mettre les pâtes dans l'eau. Contrôlez les temps de cuisson figurant sur les emballages mais goûtez une pâte 1 minute avant la fin du temps indiqué et retirez le faitout du feu si la cuisson vous semble bonne. Égouttez les pâtes dès la fin de leur cuisson et remettez-les dans le faitout pour qu'elles restent chaudes. Ajoutez tout de suite la sauce, remuez et servez sans attendre.

la pâte brisée

1 Mettez dans un récipient 200 g de farine et 100 g de beurre doux coupé en dés. Ajoutez 1 pincée de sel et fouettez le mélange au batteur électrique pendant 1 minute. Versez 2 cuillerées à soupe d'eau froide et fouettez à nouveau rapidement pour obtenir une boule homogène. Enveloppez cette dernière dans du film alimentaire et laissez-la reposer 30 minutes au frais.

2 Abaissez la pâte le plus finement possible sur un plan de travail fariné, en travaillant du centre vers l'extérieur. Garnissez-en un moule à tarte de 25 cm de diamètre et laissez à nouveau reposer 30 minutes au frais.

3 Préchauffez le four à 180 °C. Piquez la pâte avec les pointes d'une fourchette, étalez dessus un disque de papier sulfurisé et garnissez ce dernier de haricots secs. Faites cuire la pâte à blanc (sans garniture) pendant 10 à 15 minutes. Quand elle est sèche et à peine dorée, retirez-la du four, ôtez les haricots et le papier et laissez reposer à température ambiante. Pour 1 fond de tarte.

conseils et astuces

● Le beurre et l'eau doivent être bien froids avant d'être mélangés à la farine. De même, le fond de tarte cuira mieux s'il a reposé au réfrigérateur.

● Avec les quantités données pour 1 fond de tarte, vous pourrez réaliser 6 tartelettes de 9 cm de diamètre. Le temps de cuisson n'excédera pas 10 minutes.

● Vous pouvez conserver votre fond de tarte cru au congélateur. Faites-le cuire dans un four préchauffé sans le laisser décongeler. Dans ce cas, vous n'aurez pas besoin de garnir la pâte de haricots secs.

● Quand le fond de tarte est cuit, vous n'avez pas besoin d'attendre qu'il soit garni pour le démouler. Retournez-le sur une assiette d'un diamètre très légèrement inférieur et saisissez le moule par les côtés pour le retirer. Si vous envisagez de servir la tarte chaude ou tiède, utilisez un moule à fond amovible.

tartes salées

quiche lorraine

Préchauffez le four à 180 °C. Faites fondre 1 noix de beurre dans une poêle pour y faire dorer 6 tranches de poitrine de porc fumée. Égouttez-les sur du papier absorbant. Fouettez dans un récipient 2 œufs, 2 jaunes d'œufs et 250 ml de crème fraîche épaisse. Salez et poivrez. Ajoutez 100 g de gruyère râpé. Détaillez les tranches de lard en bâtonnets et étalez-les sur le fond de tarte préparé. Versez dessus le mélange aux œufs, enfournez et laissez cuire 25 minutes. Pour 6 personnes.

tarte au crabe

Préchauffez le four à 180 °C. Mettez dans une petite casserole 10 filaments de safran et 4 cuillerées à soupe d'eau froide. Laissez frémir jusqu'à ce que le liquide ait réduit de moitié. Retirez la casserole du feu avant d'y ajouter 250 ml de crème fraîche épaisse. Remuez. Incorporez 4 jaunes d'œufs, salez et poivrez, puis ajoutez 3 cuillerées à soupe de ciboulette finement hachée. Coupez en petits dés 2 belles tomates olivettes (jetez le jus et les pépins) et étalez-les sur le fond de tarte préparé. Émiettez dessus 150 g de chair de crabe (fraîchement cuit de préférence) avant de verser la crème au safran. Faites cuire 25 minutes au four. Servez avec une salade de roquette ou de cresson. Pour 6 personnes.

tarte à l'oignon

Préchauffez le four à 180 °C. Faites fondre 2 noix de beurre dans une grande poêle pour y faire chauffer 1/2 cuillerée à café de romarin ciselé et la même quantité de thym. Ajoutez ensuite 800 g d'oignons détaillés en très fines rondelles et laissez cuire jusqu'à ce qu'ils soient translucides. Versez alors 125 ml de vin blanc, couvrez et laissez mijoter 40 minutes. En fin de cuisson, les oignons doivent être presque caramélisés. Étalez-les sur le fond de tarte préparé. Fouettez dans un récipient 250 ml de crème fraîche épaisse et 4 jaunes d'œufs. Salez et poivrez avant d'incorporer 70 g de fromage râpé. Versez ce mélange sur les oignons et faites cuire la tarte 30 minutes au four. Servez avec une salade frisée. Pour 4 personnes.

tarte à la provençale

Préchauffez le four à 180 °C. Pelez 4 oignons rouges et coupez-les en six. Faites-les revenir dans une poêle avec une pincée de thym, dans un peu d'huile d'olive, en les laissant cuire environ 20 minutes pour qu'ils soient presque caramélisés. Versez 1 cuillerée à soupe de vinaigre balsamique et laissez cuire encore 5 minutes. Transférez alors les oignons sur le fond de tarte préparé. Détaillez en tranches fines 3 tomates olivettes bien mûres et disposez-les sur les oignons. Salez et poivrez. Couvrez d'une feuille d'alu et faites cuire la tarte 20 minutes au four, puis retirez la feuille d'alu et laissez cuire encore 15 minutes. Versez un peu d'huile d'olive sur la tarte et décorez-la de basilic frais grossièrement haché. Servez avec une salade verte et du fromage de chèvre. Pour 6 personnes.

réussir les tartes

L'aspect esthétique d'une tarte compte presque autant que sa réussite culinaire. Il ne suffit pas de l'accommoder avec tous les ingrédients que vous aimez, encore faut-il trouver des associations heureuses et accorder un peu de temps à la présentation. Pour une tarte à l'oignon caramélisé, disposez joliment les quartiers en les ouvrant légèrement, comme sur la photo ci-contre. Avec une tarte au fromage, pensez à retourner le moule plusieurs fois dans le four pour que le dessus dore uniformément. Présentez à côté une salade verte bien assaisonnée, par exemple avec des pignons de pin et un peu d'ail pilé pour la frisée, juste un filet d'huile d'olive et quelques copeaux de parmesan pour de la roquette, etc. Appliquez-vous dès vos premiers essais : très vite, vous aurez à disposition des recettes faciles à préparer et agréables à l'œil qui feront l'affaire aussi bien pour un repas improvisé entre amis ou un pique-nique que pour une réception plus sophistiquée. Si vous disposez d'un grand congélateur, vous pouvez préparer quelques fonds de tarte à l'avance.

des tartes toutes simples

- Faites revenir 4 blancs de poireaux dans un peu de beurre. Couvrez et laissez cuire 20 minutes à feu très doux pour que les poireaux commencent juste à dorer. Garnissez-en un fond de tarte, salez et poivrez. Dans un récipient, fouettez 250 g de crème fraîche, 2 œufs et 2 jaunes d'œufs. Versez sur la préparation. Faites cuire 30 minutes au four préchauffé à 180 °C. Vous pouvez ajouter un peu de fromage de chèvre émietté sur le dessus ou incorporer à la crème du saumon fumé détaillé en très fines lanières. Servez avec une salade verte aux concombres et à la ciboulette.

- Mélangez 300 g de fromage de chèvre frais (en faisselle), 3 œufs et 5 jaunes d'œufs. Salez et poivrez. Versez sur un fond de tarte préparé. Faites cuire 30 minutes au four préchauffé à 180 °C. Servez avec une salade de tomate et de roquette.

- Faites revenir dans un peu de beurre 2 oignons bruns émincés et 200 g de champignons en morceaux. Quand le mélange est bien cuit (toute l'eau de cuisson doit être évaporée), salez et poivrez puis ajoutez une poignée de persil plat ciselé et 1 cuillerée à soupe de crème fraîche. Couvrez de fromage râpé et faites gratiner 10 minutes au four préchauffé à 180 °C, juste le temps de faire dorer le fromage.

- Faites cuire dans une sauteuse 1 kg d'épinards lavés et bien égouttés dans un peu de beurre. Quand ils sont flétris, pressez-les bien dans une passoire pour éliminer tout le liquide qu'ils auront rendu à la cuisson puis mettez-les sur un fond de tarte préparé. Décorez le dessus d'olives noires hachées grossièrement, de fines lamelles de jambon cru et d'une poignée de fromage râpé. Faites cuire 10 minutes au four préchauffé pour que le fromage ait le temps de fondre et de dorer légèrement.

- Faites cuire 500 g de champignons frais dans un peu de beurre jusqu'à ce qu'ils soient bien tendres (la préparation doit avoir réduit de moitié). Mélangez-les ensuite avec 250 g de mascarpone, 4 jaunes d'œufs et 4 cuillerées à soupe de parmesan râpé. Salez et poivrez. Nappez-en un fond de tarte et faites cuire 30 minutes au four préchauffé à 180 °C.

les tartelettes

Pour varier les plaisirs, n'hésitez pas à préparer des tartelettes aux parfums différents. Les compositions seront les mêmes que pour les tartes mais vous réduirez légèrement le temps de cuisson. Si vous ne disposez pas de moules à tartelettes, disposez des disques de pâte précuits sur une tôle à pâtisserie et garnissez-les en gardant un bord vide de 1 cm environ. Dans ce cas, contentez-vous de garnitures sans crème ni œufs.

les fromages à pâte molle

Brie, camembert, coulommier, munster et autres pâtes molles sont délicieux tièdes, sur un fond de pâte brisé. Disposez-les en tranches fines en formant des cercles concentriques, disposez dessus quelques tranches de tomate ou des aromates de votre choix (herbes fraîches pour le brie ou le camembert, des graines de cumin pour le munster, thym ou romarin avec des tranches de fromage de chèvre) et faites cuire environ 25 minutes au four. Surveillez la cuisson car le fromage doit fondre et dorer légèrement mais sans excès. Trop cuit, il peut être écœurant. Servez avec des tranches de pommes ou de poires et un peu de jambon cru...

les fromages

On peut les utiliser dans de nombreuses recettes. Ou plus simplement en faire le centre d'un repas, avec un beau plateau présentant des fromages de différentes origines, textures et formes, associant chèvre, vache ou brebis, etc. Prévoyez toujours quelques fromages doux car tout le monde ne goûte pas les fromages puissants. Évitez cependant les fromages au lait pasteurisé, fades et sans grand intérêt. Autour de ce plateau, vous servirez différentes salades vertes, quelques branches de céleri et surtout une grande variété de fruits de saison. Poires, pommes, raisins et figues sont des accompagnements parfaits en automne et en hiver. En été, pêches et nectarines peuvent se marier avec le fromage mais préférez des tomates bien mûres à déguster à la croque-au-sel, avec un assortiment de fromages de chèvre. Les pains seront variés et abondants.

Dans la cuisine de tous les jours, un bon fromage peut relever la saveur d'un plat tout simple : du parmesan râpé avec des pâtes ou du risotto, en copeaux dans une salade verte ou sur des courgettes crues tranchées très finement ; du chèvre frais ou demi-sec sur une tarte aux légumes ou encore avec des œufs brouillés ; de la ricotta au miel pour accompagner des fruits pochés ; sans oublier les sandwichs et autres croque-monsieur pour les repas sur le pouce...

recettes vite prêtes

L'intérêt du fromage, c'est qu'il permet de préparer rapidement des recettes savoureuses et faciles.

- Mélangez un peu de feta émiettée, des olives noires hachées et un peu de crème puis tartinez-en généreusement une tranche de pain de campagne et faites griller quelques minutes au four. Saupoudrez de thym frais et décorez de tomates cerises au moment de servir.
- Faites mariner des morceaux de fromage de chèvre toute une nuit dans de l'huile d'olive, avec un peu de poivre en grains, des herbes fraîches et un zeste de citron. Servez sur un lit de roquette.
- Ouvrez des figues en deux sans les séparer, garnissez-les d'une tranche de fromage de chèvre et faites-les rôtir au four. Servez avec du jambon cru et une salade verte.
- Mélangez dans un saladier du jambon blanc détaillé en fines lanières, des copeaux de parmesan, quelques tranches de poire et de la roquette. Servez avec de fines tranches de pain de campagne grillées et nappées d'huile d'olive.
- Faites une salade de légumes rôtis (courgettes, aubergines, oignons) et garnissez-la de fromage de chèvre. Servez avec du pain grillé frotté d'ail.
- Disposez des oignons caramélisés sur une tranche de pain, saupoudrez de fromage râpé et faites gratiner au four.
- Nappez d'huile d'olive des champignons disposés sur leurs chapeaux dans un plat, faites-les cuire au four quelques minutes. Quand ils sont dorés, saupoudrez-les de fromage de chèvre émietté et remettez-les rapidement sous le gril du four. Saupoudrez-les de noix fraîches grossièrement hachées. Accompagnez d'une salade verte.

sur une tarte aux légumes

Disposez de fines tranches de tomate et d'oignon rouge sur un fond de pâte préparé ; émiettez dessus un peu de fromage de chèvre et de thym frais et faites cuire quelques minutes au four pour que le dessus soit juste doré. Ou encore émiettez un peu de roquefort ou de fourme d'Ambert sur un disque de pâte et faites cuire quelques minutes au four. Coupez en triangles et servez avec une salade de tomate et de roquette ou d'endive et de poire.

la ricotta

Ce fromage italien se prête à de très nombreuses préparations. Il s'agit d'une sorte de fromage blanc élaboré avec les résidus d'autres fromages. Le caillé est éliminé et on ajoute du lait frais avant de faire bouillir le mélange (d'où le nom de ricotta, qui signifie « recuit ») puis de verser un acidifiant qui permet la formation en surface d'une sorte de faisselle que l'on recueille afin de la faire égoutter. Voici une recette toute simple à préparer avec de la ricotta : mettez-en 200 g dans un moule à cake légèrement huilé, garnissez d'herbes ciselées, d'1 piment rouge émincé et d'olives noires hachées, saupoudrez de parmesan râpé. Recouvrez le tout avec 200 g de ricotta, nappez d'un filet d'huile d'olive et faites cuire 20 minutes au four préchauffé à 180 °C. Servez avec du pain frais et une salade de tomates.

Mariez des fruits frais de saison et un excellent fromage pour finir en beauté un repas.

quelques salades

salade de brie aux pommes et aux noix

Détaillez en fines tranches 2 pommes rouges (gardez la peau mais jetez les pépins) et mettez-les dans un saladier avec le jus d'1/2 citron. Mélangez bien. Ajoutez quelques feuilles de chicorée rouge et 10 noix grossièrement hachées. Versez un peu d'huile d'olive, salez et poivrez. Répartissez la salade entre quatre assiettes et garnissez chaque part d'un beau morceau de brie à point. Servez avec du pain grillé. Vous pouvez ajouter une fine tranche de pâte de coing.
Pour 4 personnes.

salade au chèvre chaud

Coupez 4 tranches épaisses en biais dans une baguette. Faites-les griller très légèrement puis garnissez-les de fromage de chèvre frais. Préparez une petite salade avec quelques feuilles de roquette, des olives noires et des quartiers d'artichaut mariné, huile d'olive, sel et poivre du moulin. Répartissez cette salade entre quatre assiettes. Passer les toasts de chèvre quelques minutes sous le gril du four pour les faire dorer légèrement. Servez avec la salade.
Pour 4 personnes.

Difficile de résister à l'association de noix, de

salade au parmesan

Mélangez dans un saladier 200 g de roquette et 1 poire
coupée en tranches fines (avec la peau mais sans les
pépins). Versez un peu d'huile d'olive, salez et poivrez.
Servez cette salade sur assiette, généreusement garnie
de copeaux de parmesan.

assiette fromage-jambon

Un grand classique du déjeuner sur le pouce à l'anglaise.
Sur une planchette ou sur une grande assiette, disposez
1 morceau de cheddar (au lait cru et très affiné), 2 tranches
de jambon au torchon, des fruits (pomme, poire, figue,
raisin), du pain aux céréales et quelques cornichons dans
une coupelle.
Pour 4 personnes.

fruits, de salade croquante et de fromage.

des cocktails ou des jus frais

frappé litchi-menthe

Mettez dans le bol du mixeur 5 litchis au sirop en boîte (dénoyautés) et 120 ml de leur jus, 15 grandes feuilles de menthe, 1 cuillerée à soupe de jus de citron vert et 10 glaçons. Mixez jusqu'à obtention d'un mélange homogène. Servez dans des verres glacés. Pour 2 verres.

lassi à la mangue

Dans un mixeur, mélangez 1/2 mangue ou 1 mangue (selon la grosseur du fruit) en morceaux, 1 cuillerée à café de miel, 1 cuillerée à café de jus de citron vert, 1 yaourt nature et 10 glaçons environ. Mixez pour obtenir un mélange crémeux. Versez dans des verres glacés. Pour 2 verres.

Offrez-vous des boissons colorées avec ces

velouté de menthe et glace vanille

Dans un robot, mixez 250 ml de glace à la vanille,
4 glaçons, 60 ml de crème de menthe et 6 feuilles de
menthe. Quand le mélange est onctueux, versez dans
des petits verres glacés. Pour 2 verres.

lassi à la fraise

Mélangez dans un robot 150 g de fraises sans la queue,
250 g de yaourt à la grecque, 1 cuillerée à soupe de miel
liquide et 8 glaçons. Mixez. Quand le mélange est onctueux,
versez-le dans des verres glacés. Pour 2 verres.

mélanges aux fruits ou ces glaces mousseuses.

des cocktails ou des jus frais

limonade à l'orgeat

Dans une casserole, versez 20 cl d'eau, 4 cuillerées à soupe d'amandes en poudre, 220 g de sucre et 4 gousses de cardamome fendues en deux. Laissez bouillir jusqu'à ce que le sirop épaississe. Faites refroidir et ajoutez 1 cuillerée à café d'eau de rose et 2 gouttes d'extrait d'amande. Versez dans une cruche et ajoutez de l'eau gazeuse.
Pour 10 verres.

frappé à la pastèque

Mélangez 500 ml de jus de pastèque, 2 cuillerées à soupe de sirop de grenadine et 2 cuillerées à soupe de jus de citron vert. Versez dans des verres remplis de glaçons et décorez de feuilles de menthe fraîche. Pour 2 verres.

pimm's classic

Dans un grand verre glacé, versez 60 ml de pimm's, 150 ml
de bière rousse et 1 cuillerée à café de citron vert. Ajoutez
des glaçons, mélangez, puis décorez de fines tranches
d'orange et de lamelles de concombre. Pour 1 verre.

limonade à la rose

Dans une casserole, portez à ébullition 370 cl d'eau,
4 pétales de rose bio et 220 g de sucre. Réduisez le feu
et laissez frémir 8 minutes environ, pour que le liquide
épaississe. Laissez refroidir puis ajoutez 1 cuillerée à soupe
d'eau de rose. Pour servir, mélangez avec 2 litres d'eau
gazeuse et servez dans de grands verres. Pour 8 verres.

des plats faciles

rouleaux au pastrami

rouleaux au canard et à la mangue

mini-pizzas aux artichauts et jambon cru

pan-bagnat

cheveux d'ange aux champignons braisés

pissaladière

potage de printemps

soupe de lentilles corail

sandwichs aux crevettes

sandwichs fromage-olives

soupe de poulet au lait de coco

agarics champêtres sur pâte feuilletée

spaghettinis aux courgettes et aux câpres

sardines sur toasts

gaspacho

velouté aux petits pois et à la laitue

salade de risonis aux poivrons

pappardelle au basilic et aux poivrons

rouleaux au pastrami

2 poivrons rouges
1 concombre
4 pains lavash
8 tranches de pastrami
4 pickles à l'aneth en tranches
50 g de pousses d'épinards

Faites griller les poivrons au four jusqu'à ce que la peau noircisse et se boursoufle. Mettez-les ensuite dans un sac alimentaire bien fermé, laissez-les reposer 5 minutes puis épluchez-les : la peau doit se retirer facilement. Détaillez-les en fines lanières. Coupez les concombres en deux, retirez les pépins avec une cuillère puis détaillez chaque moitié en fins rubans en utilisant un couteau économe.

Étalez un pain lavash sur le plan de travail. Superposez 2 tranches de pastrami sur une moitié du pain, ajoutez des lanières de concombres, des tranches de pickles et quelques pousses d'épinards. Roulez le pain. Répétez l'opération avec le reste des ingrédients. Coupez les rouleaux en deux et présentez-les sur un plateau. Pour 4 rouleaux.

rouleaux au canard et à la mangue

1 c. à café de poivre noir en grains
1 c. à café de poivre du Sichuan
1/2 c. à café de sel
1/2 canard rôti
8 feuilles de riz rondes
4 c. à soupe de sauce aux prunes
2 mangues fraîches pelées et coupées en fines tranches
50 g de mâche

Pilez les deux poivres et le sel dans un mortier. Retirez la peau du canard et détaillez la chair en fines lanières.

Plongez une feuille de riz dans de l'eau chaude pour qu'elle s'assouplisse puis faites-la égoutter sur du papier absorbant. Étalez-la sur le plan de travail et badigeonnez le centre d'un peu de sauce aux prunes. Garnissez-la de quelques morceaux de canard, de tranches de mangue et de feuilles de mâche. Assaisonnez avec le sel et le poivre puis roulez la feuille pour enfermer la garniture. Répétez l'opération avec le reste des ingrédients. Gardez les rouleaux sous un torchon légèrement humide. Au moment de servir, coupez-les en deux. Pour 4 rouleaux.

mini-pizzas aux artichauts et jambon cru

2 tomates bien mûres
4 c. à soupe d'huile d'olive
1 portion de pâte à pizza maison (p. 69)
8 tranches de jambon cru coupées en deux
175 g de cœurs d'artichauts marinés, égouttés et émincés
100 g de fromage de chèvre
quelques feuilles d'origan

Préchauffez le four à 200 °C. Coupez les tomates en huit et mettez-les dans un plat à rôtir. Salez et nappez-les avec la moitié de l'huile d'olive. Faites-les cuire 15 minutes au four.

Abaissez la pâte et découpez dedans 4 disques de 12 cm de diamètre environ. Mettez-les sur une grille en métal et répartissez dessus le jambon cru, les tomates rôties, les artichauts marinés et le fromage de chèvre. Versez le reste d'huile en filet fin. Faites cuire 15 minutes au four puis décorez de feuilles d'origan frais. Pour 4 pizzas.

pan-bagnat

1 baguette
1 c. à soupe d'huile d'olive
1 gousse d'ail pelée et coupée en deux
2 poivrons rouges grillés, pelés et épépinés
1 c. à soupe de câpres en saumure rincées et égouttées
185 g de thon en boîte égoutté
15 olives noires dénoyautées
1/2 oignon rouge finement émincé
15 feuilles de basilic
10 g de persil plat grossièrement ciselé
10 filets d'anchois marinés
100 g de cœurs d'artichauts marinés et égouttés

Coupez la baguette en deux comme pour un sandwich et enlevez la mie. Badigeonnez l'intérieur d'huile d'olive et frottez avec l'ail. Découpez le poivron en fines lanières et mettez-le dans un saladier avec le reste des ingrédients. Salez et poivrez. Garnissez une moitié de baguette avec cette préparation et fermez le sandwich. Coupez-le en deux. Emballez-le dans du film alimentaire et laissez-le reposer une nuit entière au réfrigérateur avec un poids dessus (une planchette plus quelques boîtes de conserve pleines). Le lendemain, découpez le pan-bagnat en tranches de 3 cm de long. Pour 16 bouchées environ.

cheveux d'ange aux champignons braisés

cheveux d'ange
aux champignons braisés

700 g de champignons mélangés
3 c. à soupe d'huile d'olive
3 gousses d'ail pilées
1 c. à soupe de feuilles de thym
250 ml de vin blanc
250 g de cheveux d'ange ou de linguine
4 noix de beurre
2 c. à soupe de persil plat ciselé
4 c. à soupe de parmesan fraîchement râpé

Coupez les champignons en deux ou en quatre selon leur taille. Faites chauffer l'huile à feu moyen dans une sauteuse pour y faire revenir l'ail, les champignons et le thym. Remuez régulièrement et laissez-les cuire à feu moyen : tout le liquide de cuisson doit être évaporé. Versez alors le vin blanc et salez. Couvrez et laissez mijoter encore 7 minutes.

Pendant que les champignons finissent de cuire, portez à ébullition un grand volume d'eau, salez-le puis versez les pâtes. Remuez et laissez cuire jusqu'à ce qu'elles soient *al dente* (vérifier le temps de cuisson figurant sur l'emballage). Égouttez-les et remettez-les dans la casserole. Incorporez le beurre et le persil. Répartissez les pâtes dans des assiettes et garnissez-les de champignons braisés. Assaisonnez de poivre au moulin. Servez avec le parmesan. Pour 4 personnes.

pissaladière

4 c. à soupe d'huile d'olive
5 oignons bruns pelés et émincés
1 c. à café de romarin frais ciselé
1 c. à café de thym frais ciselé
1 c. à café de sucre en poudre
1 portion de pâte à pizza (p.69)
12 filets d'anchois marinés coupés en trois
16 olives noires dénoyautées et coupées en deux
12 feuilles de basilic

Préchauffez le four à 220 °C. Faites chauffer l'huile dans une grande poêle pour y faire revenir les oignons, le romarin et le thym. Couvrez et laissez cuire 20 minutes à feu doux pour que les oignons soient fondus. Saupoudrez de sucre, mélangez et laissez cuire encore 1 minute.

Étalez la pâte sur un plan de travail fariné pour former 4 abaisses (ovales de préférences). Relevez légèrement les bords puis garnissez la pâte de mélange aux oignons. Décorez de filets d'anchois et de morceaux d'olives. Faites cuire 15 minutes au four. Décorez de feuilles de basilic au moment de servir. Pour 4 personnes.

potage de printemps

1,5 kg de palourdes nettoyées
1 c. à soupe d'huile d'olive
1 gousse d'ail pilée
2 fines tranches de bacon émincées
2 oignons blancs hachés finement
1 piment rouge épépiné et finement haché
1 carotte râpée
1 feuille de laurier
2 grosses pommes de terre pelées et coupées en dés
5 branches de céleri émincées
30 g de persil plat grossièrement haché

Portez 500 ml d'eau à ébullition, plongez-y les palourdes, couvrez et faites-les ouvrir en les laissant 2 à 3 minutes sur le feu. Éliminez celles qui seraient restées fermées. Extrayez les palourdes de leur coquille en en gardant quelques-unes entières pour la garniture. Filtrez le liquide de cuisson et réservez-le.

Faites chauffer l'huile d'olive, l'ail et le bacon dans une casserole à feu moyen. Quand le bacon commence à dorer, ajoutez les oignons, le piment, la carotte et le laurier. Laissez fondre les oignons avant d'incorporer les pommes de terre, le liquide de cuisson des palourdes et 250 ml d'eau. Couvrez et faites mijoter 35 minutes. Retirez la casserole du feu pour y mettre le céleri, les palourdes décortiquées et le persil. Salez et poivrez. Versez le potage dans de grands bols et garnissez de palourdes entières. Pour 4 personnes.

potage de printemps

soupe de lentilles corail

3 c. à soupe d'huile d'olive
1 oignon brun émincé
1 c. à soupe de gingembre frais râpé
1 c. à soupe de cumin moulu
2 carottes râpées grossièrement
250 g de lentilles corail
1 litre de bouillon de légumes
2 oignons rouges finement hachés
90 g de coriandre fraîche avec les racines

Faites chauffer 1 cuillerée à soupe d'huile dans une casserole pour y faire revenir l'oignon brun, le gingembre et le cumin. Quand le mélange embaume et que les oignons sont fondus, ajoutez les carottes, les lentilles et le bouillon. Couvrez et laissez frémir 30 minutes : les lentilles doivent être réduites en purée.

Pendant que la soupe cuit, faites chauffer le reste d'huile dans une poêle et faites-y revenir l'oignon rouge. Lavez la coriandre et essuyez-la bien. Hachez les racines et les tiges avant de les mettre dans la poêle ; réservez les feuilles pour la garniture. Laissez cuire le mélange oignon-coriandre quelques minutes encore, en remuant de temps à autre, jusqu'à ce que les oignons soient presque caramélisés.

Répartissez la soupe chaude dans de grands bols, disposez au centre une pleine cuillerée à soupe de mélange aux oignons rouges et décorez de feuilles de coriandre ciselées. Pour 4 personnes.

sandwichs aux crevettes

20 crevettes roses de taille moyenne, crues et décortiquées
60 ml de jus de citron vert
60 ml d'huile d'olive
2 c. à soupe d'huile de tournesol
de la mayonnaise au citron vert (p. 64)
8 tranches de pain de mie
4 feuilles de coriandre finement hachées

Mettez les crevettes, le jus de citron et l'huile d'olive dans une jatte et laissez mariner 30 minutes. Faites chauffer à feu vif, dans une poêle à fond épais, 1 cuillerée à soupe d'huile de tournesol. Jetez quelques crevettes dans l'huile chaude et faites-les frire 2 minutes jusqu'à ce qu'elles commencent à s'enrouler sur elles-mêmes. Retournez-les et poursuivez la cuisson quelques minutes. Faites cuire les autres crevettes selon le même procédé. Étalez un peu de mayonnaise au

citron vert sur les tranches de pain de mie. Répartissez les crevettes sur quatre tranches, puis parsemez de coriandre. Placez dessus les tranches de pain qui restent.
Pour 4 personnes.

sandwichs fromage-olives

50 g d'olives vertes dénoyautées et émincées
100 g de mozzarella finement coupée
30 g de parmesan frais râpé
2 c. à soupe de persil plat grossièrement haché
8 tranches de pain de mie sans la croûte
2 c. à soupe d'huile d'olive

Préchauffez le four à 180 °C. Dans un saladier, mélangez les olives, la mozzarella, le parmesan et le persil. Badigeonnez 4 tranches de pain avec 1 cuillerée à soupe d'huile d'olive et disposez-les, face huilée dessous, sur une plaque graissée. Tartinez les tranches du mélange de fromages et recouvrez avec les 4 autres tranches. Badigeonnez d'huile d'olive le dessus des sandwichs et faites-les dorer 10 minutes au four, en les retournant si nécessaire. Sortez les sandwichs du four et découpez-les en trois. Pour 12 sandwichs.

soupe de poulet au lait de coco

1 c. à café d'huile de sésame
1 piment rouge épépiné et coupé en fines lamelles
2 blancs de poulet en tranches fines
4 petits oignons émincés
1 poivron rouge coupé en fines lamelles
1,5 litre de bouillon de volaille
400 ml de lait de coco en boîte
3 c. à soupe de jus de citron vert
1 c. à soupe de nuoc-mâm
25 g de feuilles de coriandre hachées
100 g de pois gourmands coupés en lanières
des quartiers de citron vert

Mettez l'huile de sésame, le piment et le poulet dans un wok ou dans une casserole et faites cuire à feu moyen jusqu'à ce que le poulet commence à dorer. Ajoutez les oignons, le poivron rouge, le bouillon, le lait de coco, le jus de citron et le nuoc-mâm. Portez à ébullition puis laissez mijoter 10 minutes. Au dernier moment, ajoutez la coriandre et les pois gourmands. Salez et poivrez. Servez aussitôt avec des quartiers de citron vert. Pour 4 personnes.

agarics champêtres sur pâte feuilletée

spaghettinis aux courgettes et aux câpres

agarics champêtres sur pâte feuilletée

4 agarics champêtres
2 c. à soupe d'huile d'olive
1 gousse d'ail écrasée
1 abaisse de pâte feuilletée
120 g de roquette
1 c. à soupe de vinaigre balsamique
70 g de copeaux de parmesan

Préchauffez le four à 180 °C. Coupez les pieds des champignons et mettez les chapeaux dans un grand saladier avec l'huile d'olive et l'ail. Assaisonnez avec du sel et du poivre noir fraîchement moulu. Mélangez. Découpez l'abaisse de pâte en quatre carrés et posez ces derniers sur une plaque de cuisson. Roulez les bords de chaque carré de manière à former un rebord puis posez un champignon au milieu de chaque morceau de pâte. Faites cuire au four pendant 20 minutes, jusqu'à ce que la pâte soit gonflée et bien dorée. Déchirez les feuilles de roquette en morceaux dans un saladier puis ajoutez le vinaigre et le parmesan. Salez et poivrez. Mélangez. Servez les tartelettes encore tièdes accompagnées de salade. Pour 4 personnes.

spaghettinis aux courgettes et aux câpres

3 c. à soupe d'huile d'olive
2 gousses d'ail écrasées
6 courgettes râpées
400 g de spaghettinis
15 g de persil plat grossièrement haché
2 c. à soupe de petites câpres
110 g de parmesan râpé

Portez à ébullition une grande casserole d'eau salée pour les pâtes. Faites chauffer une poêle profonde, à feu moyen, et mettez-y l'huile d'olive et l'ail. Remuez avec une spatule jusqu'à ce que l'ail commence à dorer, puis ajoutez les courgettes râpées. Faites cuire les courgettes à feu doux, en remuant de temps en temps, pendant 15 minutes, jusqu'à ce qu'elles aient rendu leur liquide et qu'elles commencent à accrocher à la poêle. Faites cuire les pâtes jusqu'à ce qu'elles soient al dente (10 minutes environ), puis égouttez-les avant de les remettre dans la casserole. Ajoutez le persil, les câpres, les deux tiers du parmesan et les courgettes. Mélangez et répartissez les pâtes dans quatre assiettes creuses. Saupoudrez avec le reste de parmesan. Pour 4 personnes.

sardines sur toasts

3 tomates bien mûres coupées en petits dés
1/2 oignon rouge finement émincé
2 c. à soupe de vinaigre de vin blanc
2 c. à soupe d'huile d'olive
4 feuilles d'origan
1 noix de beurre
8 filets de sardines (16 s'ils sont petits, soit 300 g en tout)
4 tranches épaisses de pain complet grillées

Mettez les tomates, l'oignon, le vinaigre, l'huile et l'origan dans un saladier. Mélangez puis assaisonnez avec du sel et du poivre noir fraîchement moulu. Faites chauffer à feu vif une poêle antiadhésive et faites-y fondre le beurre. Faites frire les filets de sardine 1 ou 2 minutes de chaque côté jusqu'à ce qu'ils soient légèrement dorés. Disposez-les sur le pain grillé et parsemez de salade de tomates. Pour 4 personnes.

Des feuilletés aux champignons, des pâtes aux câpres ou des sardines juste grillées : voici quelques plaisirs simples pour un déjeuner léger.

sardines sur toasts

gaspacho

4 concombres libanais
8 tomates bien mûres grossièrement hachées
1 c. à soupe de sel
1 c. à café de graines de cumin grillées et moulues
1 petite betterave pelée et hachée
1 poivron rouge coupé en petits dés
3 petits oignons verts émincés
1/2 oignon rouge coupé en petits dés
2 c. à soupe de coriandre fraîche hachée

Hachez grossièrement deux concombres et coupez les deux autres en petits dés. Mettez les tomates et les concombres hachés dans un saladier avec le sel et les graines de cumin moulues, mélangez soigneusement puis laissez mariner pendant 2 heures. Ajoutez la betterave et passez le mélange au robot ou au mixeur pour le réduire en purée. Versez cette purée dans une passoire tapissée d'une étamine, au-dessus d'un récipient, puis tordez les deux extrémités de l'étamine en sens inverse pour en extraire tout le liquide. Jetez la pulpe et conservez le jus au réfrigérateur. Lorsque le jus est froid, ajoutez-y les légumes coupés en dés, les oignons émincés et la coriandre, puis réservez le tout au réfrigérateur pendant 1 heure. Salez et poivrez. Servez dans des bols et arrosez d'un filet d'huile d'olive. Pour 4 personnes.

velouté aux petits pois et à la laitue

2 c. à soupe d'huile d'olive
1 poireau émincé
1 gousse d'ail pilée
1 litre de bouillon de légumes ou de volaille
1 laitue taillée en chiffonnade
125 g de petits pois frais
1 c. à café de sucre
20 feuilles de menthe
du parmesan frais râpé

Faites chauffer l'huile dans une grande casserole et faites-y revenir le poireau et l'ail. Quand le poireau est fondant, ajoutez le bouillon, la laitue et les petits pois. Portez à ébullition puis baissez le feu et faites mijoter 15 minutes, jusqu'à ce que les petits pois soient tendres. Retirez la casserole du feu avant d'ajouter le sucre et la menthe. Mixez jusqu'à obtention d'un mélange lisse. Assaisonnez généreusement. Servez accompagné de parmesan râpé. Pour 4 personnes.

salade de risonis aux poivrons

1 oignon rouge finement émincé
2 poivrons rouges coupés en larges lanières
2 c. à soupe de vinaigre balsamique
2 c. à soupe de sucre roux
250 g de risonis ou d'autres petites pâtes courtes
2 grosses tomates bien mûres grossièrement hachées
10 grandes feuilles de basilic grossièrement hachées
150 g de roquette
4 c. à soupe d'huile d'olive

Préchauffez le four à 180 °C. Mettez l'oignon, les poivrons, le vinaigre et le sucre dans un plat allant au four et mélangez bien. Salez légèrement et couvrez avec du papier d'aluminium ; faites rôtir les légumes au four pendant 30 minutes. Sortez le plat du four et laissez refroidir. Faites cuire les risonis dans une grande casserole d'eau bouillante salée pendant 10 minutes, jusqu'à ce qu'ils soient *al dente*, puis égouttez-les soigneusement. Mettez-les dans un grand saladier avec les légumes grillés, les tomates, le basilic et la roquette puis mélangez. Salez, poivrez et arrosez d'huile d'olive. Pour 6 personnes.

pappardelle au basilic et aux poivrons grillés

4 poivrons rouges
3 c. à soupe d'huile d'olive
1 c. à café de vinaigre balsamique
120 g de feuilles de basilic
400 g de pappardelle
150 g de feta

Préchauffez le four à 200 °C. Badigeonnez les poivrons d'un peu d'huile, coupez-les en deux dans la longueur et posez-les sur une plaque de cuisson, la peau vers le haut. Faites-les cuire 20 minutes jusqu'à ce que la peau se boursoufle et noircisse. Mettez-les dans un sachet en plastique et laissez-les refroidir puis ôtez la peau et les pépins. Mixez la chair des poivrons avec le vinaigre balsamique et 10 feuilles de basilic. Salez et poivrez. Ajoutez un peu d'huile d'olive. Versez cette sauce dans une casserole et faites-la chauffer à feu doux. Faites cuire les pappardelle séparément dans un grand volume d'eau bouillante salée puis égouttez-les et ajoutez-les à la sauce aux poivrons. Émiettez la moitié de la feta sur les pâtes et mélangez. Avant de servir, garnissez avec le reste de basilic et de feta émiettée. Pour 4 personnes.

les salades

Croquantes ou tendres, amères ou douces,
les salades se prêtent à toutes les compositions.
Agrémentées d'herbes et d'aromates, dégustées
seules ou avec les tomates mûres de la saison,
mélangées à mille autres saveurs, elles portent
en elles la fraîcheur et le naturel des choses
les plus simples. À déguster sans modération.

pour débuter

la vinaigrette

toutes les salades pour une harmonie en vert

les saveurs du placard et les céréales

le gravlax ou les poissons vite prêts

les légumineuses et les mélanges faciles

des salades classiques

la vinaigrette

1 Versez 1 cuillerée à soupe de jus de citron ou de vinaigre et 3 cuillerées
à soupe d'huile d'olive dans un bol. Salez et poivrez.

2 Écrasez une gousse d'ail avec la peau en utilisant le plat de la lame d'un
couteau.

3 Mettez l'ail dans la sauce et laissez infuser 30 minutes au moins. Retirez-le
et remuez la sauce. Cette recette convient particulièrement bien aux salades
de poulet ou de poisson et fruits de mer.

conseils et astuces

- Pour vos vinaigrettes, utilisez toujours une huile excellente, le jus d'un citron
bien frais ou un vinaigre de qualité. Pour les huiles, le choix est vaste mais
l'huile d'olive reste un grand classique. Très parfumées, les huiles de noix,
de noisette ou d'argan sont à réserver pour certaines salades (un mélange
d'huile de noix ou d'argan et de jus de citron sur des carottes râpées, de
l'huile de noisette avec de la roquette et du parmesan).

- Si vous aimez le goût de l'ail, épluchez la gousse d'ail et pilez-la pour l'intégrer
à la sauce quelques minutes avant de servir. Évitez cependant de la mélanger
trop tôt à la sauce car elle pourrait couvrir le goût des autres ingrédients.

- La vinaigrette de base se fait avec 1 cuillerée de vinaigre (Xérès, balsamique
ou encore un autre très bon vinaigre) pour 3 à 4 cuillerées à soupe d'huile
(d'olive de préférence). Assaisonnez de sel et de poivre noir du moulin.
Servez avec toutes les salades classiques.

- Vous pouvez ajouter des herbes à la vinaigrette. Comptez 1 cuillerée à café
d'herbes fraîches ciselées pour 4 cuillerées à soupe de sauce. Une fois
encore, les aromates ne doivent pas couvrir le goût des autres ingrédients.

toutes les salades

Nos marchés et certaines grandes surfaces regorgent de salades de toutes sortes, tendres ou croquantes, blanches, vertes ou rouges, à pousses tendres ou larges feuilles, douces ou légèrement poivrées… Profitez des saisons pour découvrir des goûts différents. Aujourd'hui, en outre, certains marchands vendent des salades très originales, à mélanger avec quelques classiques et à déguster en petites quantités (les prix sont parfois prohibitifs et les saveurs déroutantes…).

Certaines salades s'accommodent mal de mélanges trop généreux. Servez-les avec un ou deux ingrédients complémentaires (un peu d'herbes et de fromage, quelques tomates cerises coupées en quatre, ou quelques tranches de champignons et une pointe de cumin). D'autres peuvent être mariées avec des compositions plus abondantes : dans ce cas, préparez la salade à part, assaisonnez-la et garnissez-en le reste de la recette au moment de servir, sans trop mélanger.

harmonie en vert

Une bonne salade doit être avant tout croquante. Il faut donc qu'elle soit très fraîche et que ses feuilles ne présentent ni taches ni flétrissures ni signe de fatigue. Sur certains marchés, des petits producteurs vendent des salades cueillies le matin même et dont s'écoule un liquide blanc à l'endroit de la découpe du pied : c'est un signe de très grande fraîcheur. À l'inverse, si le pied est sec, c'est que la salade n'a pas été cueillie la veille. Passez alors votre chemin.

Consommez une salade fraîche assez rapidement après l'avoir achetée. Ou alors lavez-la le jour même, égouttez à peine les feuilles et mettez-les dans un sac plastique sans serrer ou tout simplement dans l'essoreuse à salade. Vous pourrez conserver la salade 3 jours au moins.

Pour le lavage, ne faites pas tremper les feuilles trop longtemps, vous leur feriez perdre toutes leurs vitamines. Certaines variétés comportent beaucoup de sable ou de terre (comme la mâche). Mettez-les dans un récipient, faites couler de l'eau en évitant d'abîmer les feuilles sous la puissance du jet, brassez-les délicatement pour laisser le sable tomber au fond et rincez-les. Répétez l'opération au moins deux fois puis lavez les feuilles en les passant sous un filet d'eau froide.

Le cresson apportera une note poivrée originale à vos salades mais sa durée de vie est limitée. Emballé dans un linge humide, il se garde 2 jours au réfrigérateur. Coupez la base du bouquet puis passez-le sous un filet d'eau en remuant délicatement les feuilles pour qu'elles soient bien lavées. Faites reposer le bouquet la tête en bas sur du papier absorbant puis détachez les feuilles des tiges (celles-ci peuvent se manger), sans délier la botte.

Comme pour tous les fruits et légumes, respectez les saisons. En hiver c'est le règne de la mâche et de l'endive mais aussi de la chicorée rouge. Du printemps à l'automne, vous dégusterez les scaroles, laitues, frisées et autres salades à larges feuilles.

herbes à foison

Pour rester dans la nuance en ajoutant un supplément de saveur, agrémentez vos salades d'herbes fraîches. Comme les salades, elles seront choisies bien vertes et fermes. Comme les fleurs, elles se garderont mieux si vous les mettez dans un verre d'eau. Au réfrigérateur si possible. Rincez-les avant emploi et pour les essuyer, tamponnez-les délicatement avec du papier absorbant.

Le persil est l'ami de toutes les salades. C'est en outre une herbe très riche en vitamines. La ciboulette est une tige verte creuse au léger goût d'oignon vert. Délicieuse dans les omelettes, elle parfume aussi agréablement les salades. Le basilic s'utilise abondamment dans la cuisine provençale et italienne (et pourtant il est d'origine indienne). La coriandre ou persil chinois est surtout utilisée dans les recettes asiatiques.

les saveurs du placard

du monde entier

Outre les herbes fraîches, d'autres ingrédients vous aideront à parfumer vos salades et à leur donner une pointe d'originalité.

- Les câpres sont surtout vendues en saumure. Les plus petites ont un goût plus délicat. Quand elles sont un peu grosses, vous pouvez les piler grossièrement. Elles ont un goût légèrement acide. Vous pouvez les marier avec une simple salade verte à la tomate ou avec une salade de lentilles. Rincez-les avant emploi.

- Les amandes, noisettes et noix du monde entier (de pécan, de macadamia ou de cajou) apportent une touche croquante à vos préparations. Vous pouvez les faire rôtir légèrement pour en exhausser le goût avant de les piler grossièrement. Voici quelques idées toutes simples : quelques noix dans une salade frisée aux lardons ou au chèvre chaud ; des cacahuètes non salées pour parfumer une salade asiatique ; des noix de macadamia, avec leur délicat arôme de caramel, pour accompagner une salade au bleu. Attention, les fruits secs peuvent rancir. Achetez-les au détail dans des magasins ayant un bon débit pour être sûr que les stocks sont renouvelés régulièrement.

- Graines de sésame ou de moutarde, pépins de courge ou de tournesol apportent un petit plus à vos compositions. Pensez à les utiliser, nature ou légèrement grillées.

- Pour faire rôtir les noix ou les graines, étalez-les sur une feuille de papier sulfurisé et mettez-les dans le four préchauffé à 180 °C en surveillant très attentivement. Vous pouvez aussi les faire dorer à sec, c'est-à-dire sans matière grasse, dans une poêle antiadhésive. Dès qu'elles sont dorées, retirez-les de la poêle.

les céréales

Elles sont la base de notre alimentation depuis la nuit des temps. Indispensables à notre santé, elles sont parfaites aussi pour donner un peu de corps à une salade. Blé, orge, maïs, flocons de riz ou d'avoine se prêtent à de multiples associations.

Préférez le riz complet au riz blanc. Il a une saveur rustique intéressante et permet des mélanges originaux de saveurs douces ou très épicées. Si vous optez pour du riz blanc, choisissez de préférence des grains longs pour les salades car ils sont plus fermes. Mariez-le avec des ingrédients asiatiques ou exotiques (citron vert, gingembre, piment, coriandre) et adoucissez le tout de quelques feuilles d'une salade croquante et fraîche.

le couscous

Il s'agit d'une semoule de blé vendue prête à l'emploi. Il suffit de la faire gonfler dans de l'eau bouillante ou froide, selon l'usage auquel on la destine.

- Ajoutez le jus d'1 orange dans l'eau de cuisson et, quand le couscous est cuit, parfumez-le avec des zestes d'orange très finement râpés. Quelques feuilles de roquette et de persil : voici une salade toute simple à servir tiède ou fraîche.

- Dans la cuisine du Liban ou d'Extrême-Orient, la semoule peut être roulée en boulettes de la taille d'un petit pois : faites cuire ces boulettes 5 minutes environ dans de l'eau bouillante salée puis égouttez-les, versez un peu d'huile et mélangez. Ajoutez une pointe de cumin et de cannelle dans la semoule encore chaude. Laissez-la refroidir avant d'ajouter de la menthe fraîche ciselée, du persil, de la coriandre et des tomates coupées en petits dés.

le riz sauvage

Long, fin, enveloppé d'une balle très noire, c'est le roi des riz… Il s'agit en fait d'une graminée originaire d'Amérique du Nord. Les grains doivent être rincés à grande eau. Mettez-le dans l'eau froide et comptez 30 minutes à partir du moment où l'eau est à ébullition pour obtenir un grain croquant. Si vous le préférez un peu moins ferme, prolongez la cuisson d'environ 5 minutes. Égouttez-le bien et servez-le tiède ou froid avec l'accompagnement de votre choix : tranches d'orange ou de pamplemousse et un peu de saumon fumé, des poivrons grillés en fines lanières avec des lamelles d'oignons rouges et du persil. Un assaisonnement léger suffit (un filet d'huile d'olive ou de noix par exemple).

Si le gravlax se déguste sa saveur sucrée peut apporter

le gravlax

1 Mélangez 200 g de gros sel, 150 g de sucre, 2 cuillerées à soupe de poivre noir grossièrement moulu et 60 g d'aneth frais ciselé. Tapissez le fond d'un plat avec du film alimentaire et étalez dessus la moitié du mélange au sel.

2 Ajoutez dans le plat un filet de saumon de 900 g, sans peau ni arêtes, et couvrez-le avec le mélange au sel restant. Couvrez avec une autre feuille de plastique alimentaire. Posez une planchette sur le filet de saumon et entassez des poids très lourds dessus. Laissez 2 jours au réfrigérateur en le retournant de temps en temps.

3 Sortez le filet de saumon et brossez-le pour éliminer le mélange au sel. Mettez-le sur une planche à découper et détaillez-le en très fines tranches, en partant de la base et en travaillant en biais avec un très bon couteau. Pour 800 g de gravlax.

conseils et astuces

- Le gravlax se conserve environ 1 semaine au réfrigérateur. Détaillez-le au fur et à mesure de vos besoins.

- Comptez environ 100 g de saumon par convive. Vous pouvez doubler les quantités en superposant deux filets de saumon. Prévoyez alors 300 g de sel et augmentez les quantités des autres ingrédients dans la même proportion. Vous étalerez un tiers du mélange au sel entre les deux filets, que vous superposerez. Vous pourrez utiliser le reste du gravlax dans des salades ou des sandwichs.

- Le gravlax se sert traditionnellement avec du pain de seigle et de la crème fraîche. Vous pouvez aussi l'accompagner d'une mayonnaise à l'aneth ou de crème aigre aromatisée à la ciboulette.

généralement avec du pain de seigle,
à une salade une note très agréable.

poissons vite prêts

Le plus simple est d'avoir recours aux conserves… Cela n'a rien à voir avec du poisson frais, c'est d'ailleurs pour ça aussi qu'on les aime. Marinés au vin blanc ou à l'huile, avec ou sans aromates, préparés avec une sauce tomate, ce sont des alliés de tous les jours qu'il ne faut pas négliger. Non seulement parce qu'ils permettent de manger régulièrement du poisson dont on dit qu'il est excellent pour la santé, mais aussi parce qu'ils sont délicieux quand ils proviennent de bonnes conserveries. Offrez-vous de temps en temps des sardines millésimées et gardez-les un peu avant de les ouvrir. Ces poissons en conserve sont ultra-rapides à préparer : servez-les avec du pain de campagne et du beurre salé, une salade verte, quelques tomates fraîches à déguster avec du sel et du poivre et un verre de vin blanc. Voici un dîner d'été sans manière et qui ne vous demandera pas trop de travail.

Pour l'apéritif, écrasez grossièrement quelques filets de maquereau ou des sardines à l'huile, assaisonnez à votre convenance et étalez ces rillettes improvisées sur des tranches de pain grillées. Quelques très bonnes sardines à l'huile mélangées à des pâtes chaudes permettent de faire face à l'arrivée imprévue de convives.

Thon ou saumon en boîte se prêtent aussi à de nombreuses recettes. Essayez une salade composée avec tomates, courgettes et aubergines grillées, salade verte et thon à l'huile. Ou encore une ratatouille juste cuite (les poivrons doivent être croquants) à laquelle vous ajoutez au dernier moment une ou deux boîtes de thon au naturel ; servez avec du riz ou du couscous.

Au réfrigérateur, ayez toujours un peu de saumon fumé ou de gravlax. On trouve aussi de petites truites fumées vendues entières avec la peau. Elles sont délicieuses et peuvent se servir tièdes : réchauffez-les rapidement à la vapeur ou au four dans une feuille de papier d'aluminium et servez-les avec des pommes de terre à l'eau et un mélange de fromage blanc et d'herbes.

en moins de cinq minutes

C'est possible si votre placard possède quelques réserves. Achetez une très bonne boîte de sardine, d'anchois ou de maquereau à chaque fois que vous vous rendez dans une épicerie fine.

- Écrasez des sardines à l'huile sur du pain grillé et assaisonnez de poivre noir et d'un filet de citron. Servez avec un mélange de roquette et de pousses d'épinards.

- Émiettez des sardines sur un mélange de salade verte, d'œufs durs, de tomates et de poivrons grillés. Et quelques olives noires pour les inconditionnels.

- Coupez en tranches des pommes de terre cuites à l'eau (encore tièdes) et mélangez-les avec des olives noires, des branches de céleri en tranches fines, du fenouil émincé, quelques feuilles de salade. Ajoutez du thon en boîte, assaisonnez et mélangez.

- Égouttez une boîte de haricots blancs au naturel, ajoutez du thon en boîte égoutté, des tomates en tranches et des feuilles de roquette.

- Mélangez des pousses d'épinards ou de cresson, des betteraves cuites en tranches fines, de la feta émiettée, des noix grillées et concassées et du thon au naturel égoutté. Assaisonnez avec du vinaigre balsamique et de l'huile d'olive.

les poissons fumés

Ils apportent une note sophistiquée à vos salades et sandwichs.

- Disposez quelques tranches de saumon fumé sur une grande assiette, garnissez-les de fines tranches de concombre du Liban et d'un mélange de menthe et d'aneth frais ciselés. Un filet de jus de citron pour assaisonner. Servez avec de la crème aigre et du pain de seigle.

- Disposez entre deux tranches de pain un peu de saumon fumé, une feuille de salade, de la mayonnaise au citron et des tranches d'avocat.

- Émiettez grossièrement quelques tranches de truite fumée. Préparez des pâtes avec une sauce au citron (p. 75) et ajoutez les morceaux de truite. Remuez et servez sans attendre avec un filet d'huile d'olive (le parmesan n'est pas indispensable).

- Pensez aux harengs fumés mais aussi au thon fumé : vendu comme un saucisson, il se débite en tranches fines ; on le trouve parfois prédécoupé dans certains magasins biologiques. Servez ces poissons fumés avec du pain noir et de la crème fraîche.

les légumineuses

On les connaît plus couramment sous le nom de légumes secs. Côté santé, elles sont un atout grâce à leur richesse en protéines, en fibres et en fer pour certaines d'entre elles. Elles sont vivement recommandées à ceux qui ne mangent que peu de viande ou de poisson. Côté gourmandise, on peut les préparer de mille et une façons et elles ne sont pas très difficiles à cuisiner.

dans le placard

On les trouve en boîtes pour les cuisiniers pressés mais elles seront meilleures si vous les faites cuire vous-même. Les haricots et les pois chiches nécessitent au moins une nuit de trempage et cuisent longtemps (entre 1 heure et 2 heures). Vous pouvez les remplacer par des conserves à condition qu'elles soient préparées au naturel. Il est préférable de rincer les pois chiches. Choisissez de préférence les conserves en pot de verre ; les produits sont généralement meilleurs (même s'ils sont un peu plus chers). Achetez enfin des petites boîtes : il est préférable d'en ouvrir deux plutôt que de devoir en jeter la moitié d'une grande… Dans les magasins d'alimentation diététique, vous trouverez un large assortiment de haricots secs en tous genres ; laissez-vous tenter et imaginez des mélanges originaux en tenant compte de la texture de chaque variété.

Les lentilles vertes ou rouges cuisent plus vite et ont seulement besoin d'être rincées ; il n'est même plus nécessaire aujourd'hui de les trier. Les lentilles vertes du Puy et les lentilles du Berry (brunes ou roses) sont excellentes. Faites-les cuire 25 minutes environ dans un peu moins de trois fois leur volume d'eau (ajoutez-en un peu en fin de cuisson si nécessaire), en démarrant la cuisson à l'eau froide. Salez en fin de cuisson. Les lentilles corail seront réservées aux soupes ou aux préparations de légumes à l'indienne car elles ont tendance à se réduire en purée à la cuisson.

Pour tous les légumes secs à cuisiner, vous trouverez les temps de cuisson sur l'emballage. Vérifiez aussi la date de péremption et négligez les produits qui arrivent presque à expiration : les légumes secs peuvent se garder au moins deux ans mais plus ils sont vieux, moins ils sont savoureux (et plus ils mettent de temps à cuire…). Dans les magasins bio, vous trouverez des légumes secs en vrac, moins chers à l'achat. Demandez la date limite pour être sûr de ne pas acheter des récoltes trop anciennes.

des mélanges faciles

Nous nous contenterons d'évoquer ici les légumineuses accommodées en salade ou en préparations froides. Pour un buffet en été, n'hésitez pas à proposer séparément des lentilles cuites avec un peu de safran, des pois chiches au cumin ou des haricots secs à l'oignon rouge. Dans d'autres saladiers, vous aurez disposé tomates en salade, concombre au fromage blanc, salade verte et autres légumes frais qui permettront à chacun de vos convives de faire leurs propres mélanges.

- Mixez des lentilles cuites avec un peu d'huile d'olive, de jus de citron et de cumin moulu. Servez avec des légumes crus croquants et du pain au sésame.

- Mélangez dans un saladier des tomates, des pois chiches, des oignons rouges, de la feta et des feuilles de roquette.

- Pour une salade exotique, mélangez des pois chiches et du boulgour avec de la coriandre, de la menthe fraîche, du cumin en poudre, un filet de citron et un peu d'huile d'olive.

- Servez des lentilles vertes cuites avec un filet de vinaigre balsamique et un filet d'huile d'olive. Poivrez. Ajoutez de fines lamelles d'oignon rouge ou d'échalote. Vous pouvez aussi les accommoder en mélangeant un peu de leur jus de cuisson avec du fromage blanc et de la moutarde à l'ancienne.

- Disposez sur assiette un lit de pousses d'épinards puis quelques haricots verts et bâtonnets de carotte juste cuits (ils doivent rester un peu croquants). Ajoutez des lentilles froides au vinaigre balsamique et au gingembre frais râpé. Servez avec des côtelettes d'agneau grillées.

- Mélangez des légumes grillés et des pois chiches au cumin et à la coriandre. Ou encore des haricots blancs avec des tomates séchées marinées à l'huile, des artichauts marinés, de la roquette, des olives noires et des copeaux de parmesan.

les salades classiques

salade grecque

Coupez en dés 4 tomates bien mûres (jetez le jus
et les pépins) et disposez-les dans un grand plat. Ajoutez
2 concombres du Liban coupés en dés, 1/2 oignon rouge
en tranches fines, 175 g d'olives noires et un peu d'origan.
Coupez 200 g de feta en cubes ou en tranches fines et
disposez-les sur la salade. Mélangez 1 cuillerée à café
de vinaigre de vin rouge et 2 cuillerées à soupe d'huile
d'olive, salez et poivrez. Versez cette sauce sur la salade
et servez sans attendre. Pour 4 personnes.

taboulé

Faites tremper 70 g de boulgour dans de l'eau froide
pendant 10 minutes. Égouttez-le en le pressant fort entre
vos mains pour éliminer l'excédent d'eau. Salez et poivrez.
Hachez finement 170 g de feuilles de persil plat, 2 oignons
verts et 1 poignée de menthe fraîche (sans les tiges).
Ajoutez-les au boulgour. Assaisonnez avec 4 cuillerées
à soupe d'huile d'olive et 3 cuillerées à soupe de jus de
citron. Mélangez. Pour 4 personnes.

salade César

Préparez une mayonnaise (p. 64) avec 1 cuillerée à café de moutarde de Dijon, 2 cuillerées à soupe de jus de citron, 1 œuf et 125 ml d'huile. Salez et poivrez avant d'incorporer 3 cuillerées à soupe de parmesan râpé. Faites cuire 2 œufs 6 minutes dans de l'eau bouillante. Rafraîchissez-les et écalez-les. Ôter la croûte de 3 tranches de pain de mie avant de les couper en cubes. Faites revenir 2 fines tranches de bacon dans une poêle, dans de l'huile bien chaude, jusqu'à ce qu'elles soient croustillantes. Égouttez-les sur du papier absorbant puis cassez-les grossièrement. Faites ensuite dorer dans la poêle les cubes de pain avant de les faire égoutter sur du papier absorbant. Nettoyez 2 cœurs de laitue et disposez-les sur un grand plat de service. Disposez dessus les œufs coupés en quatre, le bacon, le pain frit et quelques filets d'anchois hachés finement. Ajoutez un peu de mayonnaise. Pour 4 personnes.

salade niçoise

Faites cuire à l'eau ou à la vapeur 8 petites pommes de terre puis égouttez-les. Pelez-les et coupez-les en tranches. Faites cuire 150 g de haricots verts dans un peu d'eau bouillante salée. Faites cuire 4 œufs 6 minutes dans de l'eau bouillante. Rafraîchissez-les et écalez-les. Nettoyez 2 cœurs de laitue et répartissez les feuilles dans quatre bols. Coupez les œufs en quatre et disposez-les sur les feuilles de salade. Répartissez dans les bols les pommes de terre et les haricots, 175 g de thon à l'huile égoutté, 2 tomates coupées en dés, 1/2 oignon rouge en tranches fines, des olives noires dénoyautées, du persil plat ciselé, quelques feuilles de basilic et quelques câpres rincées et égouttées. Assaisonnez avec une vinaigrette au citron (p. 112). Décorez avec des filets d'anchois. Pour 4 personnes.

des salades très variées

taboulé aux pois chiches
fenouil et pamplemousse
poulet et papaye
poulet et citron confit
poulet et pamplemousse rose
salade de fenouil et noix
haricots verts et pistaches
salade tiède aux trois haricots
pommes et pecorino
poires et noix
poulet et pignons de pin
haricots verts et noix de coco
salade de pommes de terre
crabe et cresson
roquette et ricotta au safran
salade mélangée aux épinards
salade aux haricots blancs

taboulé aux herbes et aux pois chiches

salade de fenouil et pamplemousse

taboulé aux pois chiches

180 g de semoule de blé dur
1 noix de beurre
400 g de pois chiches en boîte égouttés et rincés
2 tomates bien mûres épépinées et coupées en dés
1/2 oignon rouge coupé en petits dés
10 g de feuilles de menthe
15 g de feuilles de coriandre
1 poignée de feuilles de persil
1 c. à soupe de jus de citron
3 c. à soupe d'huile d'olive
2 c. à soupe de citrons marinés coupés en dés

Mettez la semoule et le beurre dans un grand récipient puis couvrez avec 250 ml d'eau bouillante. Laissez gonfler la semoule en aérant de temps en temps les grains à la fourchette. Avant d'ajouter les autres ingrédients, écrasez la semoule entre vos doigts pour vous assurer qu'elle ne comporte pas de grumeaux. Mélangez la semoule et la préparation aux herbes et aux légumes. Assaisonnez avec du sel et du poivre noir fraîchement moulu. Pour 4 personnes.

salade de fenouil et pamplemousse

500 ml de jus de pomme
3 grains de poivre noir
1 branche de thym frais
1 c. à soupe de vinaigre balsamique
1 c. à café de sel au céleri
2 bulbes de fenouil émincés très finement
2 pamplemousses roses pelés à vif et détaillés en quartier
2 tiges de céleri coupées en tranches fines

Mettez dans une casserole le jus de pomme, le poivre et le thym. Laissez frémir à feu moyen pour faire réduire le liquide : il doit rester 3 cuillerées à soupe de sirop épais. Laissez refroidir avant d'ajouter le vinaigre et le sel de céleri ; mélangez. Répartissez le fenouil, les pamplemousses et le céleri sur un grand plat. Arrosez de sauce. Servez avec du poulet grillé ou du rôti de porc. Pour 4 personnes.

salade de poulet à la papaye

120 ml d'eau de tamarin
1 c. à café de sauce de soja
2 c. à café de gingembre frais râpé
1 c. à soupe de sucre de palme
1/2 c. à café de cumin grillé moulu
1 gros piment rouge épépiné et émincé
2 blancs de poulet rôtis grossièrement déchiquetés
80 g de cacahuètes concassées
1 papaye pelée, débarrassée de ses graines et coupée en tranches
1 petit concombre libanais coupé en dés
2 c. à soupe d'oignons frits asiatiques
2 petits oignons verts hachés
20 g de feuilles de menthe
15 feuilles de bétel

Mélangez l'eau de tamarin, la sauce de soja, le gingembre, le sucre de palme, le cumin et le piment dans un grand saladier. Remuez jusqu'à dissolution complète du sucre. Ajoutez le poulet et mélangez. Dans un autre saladier, mélangez les cacahuètes, la papaye, le concombre, les oignons frits, les oignons verts et la menthe ; assaisonnez. Répartissez les feuilles de bétel et la salade de poulet sur quatre assiettes de service. Pour 4 personnes.

Les herbes aromatiques donnent une pointe de fraîcheur à vos salades. Pour créer la surprise, mélangez le fenouil, la menthe et le persil.

salade de poulet à la papaye

salade de poulet et citron confit

2 blancs de poulet
1/2 c. à café de cannelle moulue
10 filaments de safran
2 concombres du Liban
1 c. à soupe d'écorce de citron confit en saumure
1 poignée de feuilles de persil plat
12 feuilles de menthe
2 c. à soupe d'huile d'olive
60 g d'amandes effilées légèrement grillées

Préchauffez le four à 200 °C. Mettez le poulet dans un plat à rôtir, saupoudrez-le de cannelle et de safran puis versez 250 ml d'eau. Couvrez d'une feuille de papier d'alu et faites-le pocher 30 minutes au four. Quand il est tendre et cuit à cœur, retirez-le du four et laissez-le tiédir dans son jus de cuisson.

Détaillez les concombres en petits dés et mettez-les dans un saladier avec le citron confit, le persil et la menthe. Coupez les blancs de poulet en morceaux et ajoutez-les à la salade. Mélangez l'huile avec un peu de jus de cuisson, salez et poivrez. Versez la sauce sur la salade. Décorez d'amandes grillées. Servez avec du couscous ou une salade verte. Pour 4 personnes.

salade de poulet au pamplemousse rose

1 oignon vert émincé
2 c. à soupe de vinaigre de vin rouge
4 c. à soupe d'huile d'olive
4 c. à soupe de crème fraîche
175 g de poulet rôti (sans les os) en petits morceaux.
2 pamplemousses roses
3 poignées de pousses de salade mélangées
30 g de cerneaux de noix grossièrement hachés

Mélangez dans un bol l'oignon, le vinaigre, l'huile et la crème. Salez et poivrez avant de mélanger. Ajoutez un peu d'eau si la sauce est trop épaisse puis incorporez les morceaux de poulet. Remuez.

Pelez à vif les pamplemousses et prélevez les quartiers sans garder les membranes blanches. Disposez la salade sur une grande assiette, garnissez de morceaux de poulet et de quartiers de pamplemousse, décorez enfin de noix hachées. Pour 4 personnes.

salade de fenouil

2 c. à soupe de vinaigre balsamique
4 c. à soupe d'huile d'olive
1 c. à café de moutarde de Dijon
2 bulbes de fenouil coupés en fines tranches
2 oranges
20 g de feuilles de persil plat
30 g de cerneaux de noix grossièrement hachés
20 olives noires

Mélangez soigneusement le vinaigre, l'huile et la moutarde dans un bol. Dans un grand saladier, mélangez le fenouil, les oranges pelées à vif et détaillées en quartiers (ôtez la membrane blanche qui les entoure), le persil, les cerneaux de noix et les olives puis nappez la salade avec la sauce. Pour 4 personnes.

salade de haricots verts et pistaches

300 g de haricots verts éboutés
400 g de haricots de Lima en boîte rincés et égouttés
85 g de menthe fraîche
70 g de pistaches décortiquées et grillées
le zeste et le jus de 2 mandarines
3 c. à soupe d'huile d'olive

Faites cuire les haricots verts dans de l'eau bouillante salée pendant quelques minutes. Ils doivent rester croquants. Passez-les sous l'eau froide pour stopper la cuisson puis égouttez-les bien. Mettez-les dans un saladier avec les haricots de Lima.

Garnissez la salade de feuilles de menthe grossièrement ciselées, de pistaches et de zeste de mandarine détaillé en très fines lanières. Dans un bol, mélangez le jus de mandarine et l'huile. Versez cette sauce sur la salade, salez et poivrez. Mélangez. Servez sans attendre. Pour 4 personnes.

Pour les salades, vous pouvez choisir entre des salade aux trois haricots, ou pour un mélange léger

salade tiède aux trois haricots

compositions riches et abondantes, comme cette et frais à base de feuilles croquantes et de fruits.

salade de pomme et pecorino

salade tiède aux trois haricots

6 tranches de jambon cru italien
175 g de haricots verts
175 g de haricots beurre
175 g de haricots blancs en boîte
2 c. à soupe d'huile d'olive
2 c. à soupe de vinaigre de vin blanc
30 g de persil plat grossièrement haché
2 c. à soupe de pignons de pin grillés

Portez une grande casserole d'eau à ébullition. Pendant ce temps, faites griller le jambon cru à sec jusqu'à ce qu'il soit croustillant puis épongez-le sur du papier absorbant. Lorsque l'eau bout, faites blanchir les haricots verts et les haricots beurre quelques minutes (ils doivent rester croquants). Égouttez-les et passez-les rapidement sous l'eau froide. Remettez-les dans la casserole, ajoutez les haricots blancs égouttés, l'huile d'olive, le vinaigre et le persil. Coupez le jambon en grosses lanières puis mettez-le dans la casserole avec les pignons. Mélangez bien le tout, ajoutez un peu de sel et de poivre noir. Versez la salade tiède sur un plat de service. Pour 4 personnes.

salade aux poires et aux noix

100 g de cerneaux de noix
1/2 gousse d'ail
1 c. à café de sel
le zeste râpé et le jus d'1 orange
120 ml d'huile d'olive
240 g de roquette
2 poires
140 g de fromage de chèvre frais

Mixez les noix, l'ail, le sel, le zeste d'orange et l'huile d'olive. Mélangez la roquette et le jus d'orange, remuez puis répartissez les feuilles entre quatre assiettes de service. Évidez les poires, coupez-les en fines tranches et disposez-les sur la roquette. Garnissez de fromage de chèvre puis nappez de sauce aux noix. Salez et poivrez.
Pour 4 personnes.

salade de pommes et pecorino

2 c. à café de miel liquide
1 c. à café de moutarde de Dijon
3 c. à soupe d'huile d'olive
2 c. à soupe de jus de citron
2 pommes coupées en tranches fines (avec la peau)
2 cœurs de chicorée rouge lavés et égouttés
100 g de roquette
85 g de pecorino

Mélangez dans un bol le miel, la moutarde et l'huile. Salez et poivrez. Remuez bien.

Mettez le jus de citron dans un saladier et ajoutez les tranches de pommes. Remuez pour les recouvrir totalement de jus de citron puis égouttez-les. Vous pouvez récupérer le jus de citron pour l'incorporer à la sauce au miel.

Ajoutez dans le saladier le pecorino coupé en tranches fines, les feuilles de chicorée et la roquette. Versez la sauce et mélangez. Servez aussitôt. Pour 4 personnes.

salade aux poires et aux noix

salade de poulet aux pignons de pin

1 jaune d'œuf
1 c. à café de vinaigre balsamique
125 ml d'huile d'olive
2 filets d'anchois finement hachés
3 blancs de poulet pochés en morceaux
50 g de câpres rincées et égouttées
30 g de pignons de pin grillés
70 g de raisins secs
10 g de persil plat grossièrement haché
le zeste d'1 citron

Dans un bol, fouèttez le jaune d'œuf et le vinaigre. Ajoutez l'huile en filet tout en continuant à fouetter pour obtenir une mayonnaise épaisse. Intégrez-y les anchois, salez et poivrez. Réservez. Dans un saladier, mélangez le reste des ingrédients et remuez délicatement. Assaisonnez avec la mayonnaise aux anchois. Servez dans des bols, saupoudré de poivre concassé. Pour 4 personnes.

salade de haricots verts à la noix de coco

400 g de haricots verts
2 piments verts finement hachés
1 c. à café de gingembre frais râpé
80 g de yaourt à la grecque
le jus d'1 citron vert
1 c. à café de sel
1/4 de noix de coco en copeaux
2 c. à soupe d'huile végétale
1 c. à soupe de graines de moutarde brunes
30 feuilles de curry

Portez de l'eau à ébullition dans une casserole pour y faire cuire les haricots verts 2 à 3 minutes. Égouttez-les puis passez-les sous un jet d'eau froide. Mettez les piments, le gingembre, le yaourt, le jus de citron vert et le sel dans un saladier. Ajoutez la noix de coco et mélangez. Faites chauffer l'huile à feu moyen dans une petite poêle pour y faire revenir les graines de moutarde et les feuilles de curry. Lorsque les graines commencent à éclater, retirez la poêle du feu. Transférez son contenu sur le mélange à la noix de coco, ajoutez les haricots verts et remuez. Pour 4 personnes.

salade de pommes de terre

2 grosses pommes de terre à chair ferme
6 petits oignons verts émincés
75 g de persil plat grossièrement haché
70 g d'aneth haché
120 ml d'huile d'olive
le zeste et le jus d'1 citron

Coupez les pommes de terre en morceaux et mettez-les dans une grande casserole d'eau froide salée. Portez à ébullition à feu vif. Lorsque l'eau bout, retirez la casserole du feu et couvrez-la. Laissez les pommes de terre dans l'eau chaude pendant 30 minutes. (Grâce à cette méthode de cuisson, elles ne s'émiettent pas et ne s'imbibent pas d'eau.)

Pendant ce temps, mélangez dans un saladier les oignons, le persil, l'aneth, l'huile d'olive, le zeste et le jus de citron. Vérifiez la cuisson des pommes de terre avec la pointe d'un couteau. Égouttez-les et ajoutez-les encore chaudes à la sauce aux herbes et aux oignons. Assaisonnez avec du sel et du poivre noir fraîchement moulu. Pour 4 personnes.

salade de crabe au cresson

100 ml d'eau de tamarin
2 c. à soupe de sucre de palme râpé ou de sucre roux
2 c. à soupe de nuoc-mâm
2 c. à soupe de jus de citron vert
250 g de chair de crabe fraîchement cuite
2 c. à soupe d'huile d'olive
2 c. à soupe de coriandre fraîche ciselée
500 g de cresson nettoyé
1 poivron rouge détaillé en fines lanières
3 piments rouges longs émincés
2 oignons verts émincés

Pour la sauce, mélangez l'eau de tamarin, le sucre, le nuoc-mâm et le jus de citron dans un bol. Remuez pour faire dissoudre le sucre et laissez reposer.

Mettez la chair de crabe dans un saladier en l'émiettant finement. Ajoutez l'huile d'olive et la coriandre. Mélangez puis salez et poivrez à votre convenance. Mélangez dans un autre saladier le cresson, le poivron, les piments et les oignons verts. Versez l'assaisonnement, remuez et répartissez aussitôt cette salade sur de grandes assiettes. Garnissez-la de mélange au crabe. Pour 4 personnes.

Du fromage et une salade fraîche se marieront très

salade de roquette et ricotta au safran

bien avec quelques croûtons dorés et croustillants…

salade mélangée aux épinards

salade de roquette et ricotta au safran

500 g de ricotta
1 pincée de safran en filaments
2 c. à soupe d'huile d'olive
1 c. à café de vinaigre balsamique
2 bulbes de fenouil en tranches très fines
300 g de roquette
3 c. à soupe d'huile de noix

Préchauffez le four à 180 °C. Mettez la ricotta dans un moule à cake tapissé de papier sulfurisé légèrement graissé. Saupoudrez le safran dessus, nappez d'huile d'olive, salez et poivrez. Faites cuire au four 30 minutes. Laissez refroidir à température ambiante.

Mélangez dans un saladier le fenouil, la roquette et l'huile de noix. Répartissez cette salade sur des assiettes de service et garnissez de tranches de ricotta cuite. Pour 4 personnes.

salade mélangée aux épinards

1 kg d'épinards lavés et égouttés, sans les tiges
12 olives noires dénoyautées et hachées grossièrement
1 gousse d'ail hachée très finement
2 c. à soupe de menthe fraîche ciselée
1 petit oignon rouge détaillé en fines tranches
2 c. à soupe de vinaigre balsamique
200 g de feta
125 ml d'huile d'olive
30 g de croûtons frits

Assurez-vous que les épinards sont parfaitement égouttés avant de les hacher grossièrement et de les mettre dans un grand saladier. Ajoutez les olives, l'ail, la menthe, l'oignon et le vinaigre puis la feta émiettée.

Faites chauffer l'huile dans une poêle. Quand elle commence à fumer, versez-la sur la salade en prenant garde aux éclaboussures. Mélangez très rapidement, ajoutez les croûtons et servez sans attendre. Pour 4 personnes.

salade aux haricots blancs

2 c. à soupe d'huile d'olive
2 gousses d'ail pilées
1 oignon rouge coupé en quartiers
50 g de thym
60 ml de vin blanc
400 g de haricots blancs en boîte
150 g de tomates cerises coupées en deux
1 c. à soupe de vinaigre balsamique
30 g de persil plat grossièrement haché

Faites chauffer l'huile dans une poêle à feu moyen. Mettez-y l'ail et faites-le dorer, puis ajoutez l'oignon rouge et le thym. Poursuivez la cuisson jusqu'à ce que l'oignon soit fondant. Mouillez alors avec le vin blanc. Laissez mijoter jusqu'à ce que le vin soit presque entièrement évaporé puis ajoutez les haricots. Mélangez. Versez les haricots dans un saladier avant d'ajouter les tomates, le vinaigre et le persil. Salez et poivrez. Vous pouvez ajouter quelques gouttes d'huile d'olive. Pour 4 personnes.

À la fin de l'été, tomates bien mûres et haricots mi-secs seront servis avec du thym frais et de l'ail.

salade aux haricots blancs

saveurs d'été

C'est la saison des légumes frais et des fruits gorgés de soleil. La cuisine devient plus ludique, jouant avec des couleurs et des textures très variées, pour des recettes simples et légères.

pour débuter

des parfums venus de loin

sauces exotiques ou salsas

les tomates au cœur de l'été

les poivrons grillés pour les salades

les marinades

des parfums venus de loin

On a tous en tête quelques clichés sur l'été : grand ciel bleu, déjeuner à l'ombre des arbres, dîner dans la fraîcheur du soir autour d'un barbecue. Des saveurs et des parfums sont associés à ces images, parfums des fleurs et de la nature, saveurs variées des herbes, aromates et condiments dont nous enrichissons nos plats préférés. La cuisine d'été n'a pas besoin d'être compliquée pour être bonne : il suffit de travailler avec les produits de saison, gorgés de couleurs et de soleil, de faire mariner viandes et poissons dans quelques mélanges frais, de poser sur la table des jus de fruits ou cocktails aux saveurs les plus étonnante. On pourra jouer avec les saveurs connues ou s'aventurer vers des continents plus éloignés pour s'inspirer des fragrances délicieuses venues d'Asie ou d'ailleurs.

parfums d'Asie

Deux saveurs se marient tout particulièrement avec les cuissons simples de l'été : celle du citron vert et celle du gingembre. Tous deux comportent une note acidulée qui relève le goût d'un poulet ou d'un poisson. On les incorpore facilement à une salsa fraîche (p. 150-151), une sauce ou un assaisonnement. On peut même les retrouver dans une soupe fraîche (carotte, gingembre et coriandre ; concombre, menthe et citron vert). Jouez-en à volonté sur vos grillades. Car l'été est par excellence la saison du barbecue, qui permet des réunions amicales sans manières où chacun peut se servir à sa guise, où tout le monde met la main à la pâte…

Venues du bout du monde également, et offrant une grande variété de formes, de textures et de couleurs, les nouilles sont un atout important pour élaborer des préparations originales. Chacun de nous connaît un peu les nouilles chinoises, blanches ou jaune très claire, de riz, de soja, aux œufs. Moins nombreux sont ceux qui ont eu l'occasion de goûter aux nouilles japonaises, aux noms très exotiques : udon, soba, somen, ramen… Sans oublier les nouilles au thé vert.

Quelques principes de cuisson doivent être rappelés ici : les nouilles fraîches exigent simplement un trempage dans de l'eau bouillante (entre 5 et 10 minutes) pour les assouplir et les séparer facilement. On les rince ensuite à l'eau froide. Les nouilles sèches seront plongées 4 minutes environ dans une eau en ébullition puis également rincées à l'eau froide (on les fait réchauffer dans un bouillon ou dans un wok).

une pointe d'exotisme

La découverte des produits exotiques ouvre un champ très large à notre imagination et il est parfois difficile de s'arrêter. Or, en cuisine, il est important de ne pas recouvrir l'ingrédient principal par un trop-plein de saveurs différentes. Voici quelques produits exotiques simples à trouver et qui peuvent se suffire à eux-mêmes pour enrichir une recette.

- Les feuilles de citronnier kaffir ou gombava apportent une nuance citronnée très fine à une marinade pour du poisson ou du poulet. Elles sont vendues fraîches dans les épiceries asiatiques. Achetez-en une bonne quantité et congelez-les dans des petits sachets. Ciselées finement et mélangées avec du piment, du jus de citron vert et de l'huile, elles serviront à parfumer des crevettes grillées. Laissez ces dernières mariner 1 heure au moins dans la sauce.

- Le dashi est un bouillon japonais élaboré à base de bonite séchée (poisson assez proche du thon). Il est facile à préparer (p. 285). On le trouve dans les magasins asiatiques. Idéal pour parfumer des nouilles avant de les préparer en salade fraîche.

- Pour parfumer des salades de fruits, vous pouvez utiliser du miel liquide (de lavande, d'érable, de tilleul…), du sirop de grenade (en vente dans les épiceries orientales), de l'eau de rose, de l'eau de fleur d'oranger, du sirop d'érable… Du poivre moulu sur des fruits de saison (melon, pastèque et framboises mélangés, par exemple) peuvent offrir une nuance étonnante. Le sumac, une épice du Moyen-Orient au goût à la fois poivré et acide, parfumera les viandes grillées.

- L'eau de tamarin est tirée de la pulpe acide d'un fruit exotique. Le tamarin est généralement vendu en petits blocs que l'on met à tremper dans de l'eau. Filtrez cette eau et utilisez-la pour parfumer des recettes chinoises ou thaïes. Vous pouvez également vous procurer du concentré de tamarin dans les épiceries chinoises. Respectez alors les quantités indiquées sur l'emballage.

- Le kecap manis est une sauce de soja indonésienne épaisse et sucrée. On peut en arroser légèrement des légumes verts cuits à la vapeur, l'utiliser pour aromatiser une sauce ou badigeonner une viande blanche avant de la faire griller. Elle est plus douce et plus délicate que les sauces de soja classiques.

sauces exotiques

cacahuètes

Mélangez dans un bol 1 cuillerée à soupe de sucre de palme râpé ou de sucre roux, 100 ml d'eau de tamarin, 2 cuillerées à soupe de kecap manis et 1 cuillerée à soupe de vinaigre balsamique. Remuez vivement pour faire dissoudre le sucre puis ajoutez 1 petit piment rouge frais épépiné et émincé, 1 gousse d'ail finement hachée et 70 g de cacahuètes non salées légèrement grillées à sec puis pilées assez finement. Servez cette sauce sur une salade fraîche au concombre, à la menthe et au bœuf grillé. Pour 185 ml.

gingembre

Mélangez dans une casserole 125 ml de dashi, 3 cuillerées à soupe de vinaigre de vin de riz, 4 cuillerées à soupe de sauce de soja claire et 3 cuillerées à café de sucre roux. Portez à ébullition puis retirez la casserole du feu et versez le liquide chaud dans un bol. Quand il a refroidi, ajoutez-y 1 cuillerée à soupe de gingembre frais râpé. Cette sauce accompagnera une julienne de légumes frais (carotte, concombre, poivron, radis noir) et quelques crevettes sautées ou des blancs de poulet pochés. Pour 250 ml.

Des sauces inspirées par des cuisines exotiques

citron et cumin

Mélangez dans un bol 2 cuillerées à soupe de jus de citron,
125 ml d'huile d'olive, 2 gousses d'ail hachées très finement,
1 cuillerée à café de cumin moulu et 1 pincée de paprika.
Mélangez vivement. Servez cette sauce avec une salade
de tomate et concombre ou avec des lentilles froides.
Pour 150 ml.

citron vert et citronnelle

Mettez dans un bol 4 cuillerées à soupe de jus de citron
vert, 4 cuillerées à soupe de nuoc-mâm et 2 cuillerées à
soupe de sucre roux. Fouettez vivement pour faire dissoudre
le sucre. Ajoutez alors 2 cuillerées à soupe de blanc de
citronnelle très finement haché, 1 gousse d'ail pilée et
2 piments rouges frais épépinés et émincés. Remuez.
À servir avec une salade verte agrémentée de crevettes et
coquillages ou encore avec un mélange frais de concombres
en bâtonnets, germes de soja et herbes aromatiques.
Pour 150 ml.

donneront à vos salades une note originale.

les tomates

C'est au cœur de l'été qu'elles sont parfaites. Grosses ou petites, rondes ou allongées, elles ont le goût du soleil. S'il nous arrive de succomber en hiver à quelques tomates rouges sur un étal, c'est sans doute parce que l'été nous semble trop loin. Mais la déception est souvent au rendez-vous.

Pour goûter pleinement les tomates d'été, gardez-les dans un endroit frais mais évitez de les laisser au réfrigérateur. N'achetez que celles qui présentent une peau bien rouge et qui sont fermes au toucher. Mettez-les dans un saladier, dans un coin de votre cuisine à l'abri du plein soleil, et attendez qu'elles soient mûres pour les consommer. Avec un accompagnement des plus simples : une pincée de sel, un peu de poivre et un filet d'une excellente huile d'olive.

Certaines grandes surfaces sont bien approvisionnées et offrent un large choix de produits de qualité. Si ce n'est pas le cas, optez plutôt pour les tomates cerises, toujours très parfumées. Très alléchantes, les tomates en branches peuvent être délicieuses, mais ne vous laissez pas prendre au piège car souvent c'est la branche qui dégage ce parfum de légume du jardin… Depuis quelques années, le consommateur est attiré par un produit qui a été conçu pour faire illusion ! Si vous en avez le temps, achetez les tomates sur le marché, chez les petits producteurs. Elles comportent quelques taches ? Tant mieux, c'est qu'il s'agit de tomates de pleine terre, juteuses et sucrées à souhait. Et tant pis si elles ne sont pas d'une rondeur parfaite : leur goût n'en sera pas altéré. En revanche, ne prenez pas les tomates un peu tavelées ou flétries, sauf si vous voulez les utiliser pour un coulis ou une sauce.

tomates fraîches...

Pour mettre en valeur la saveur des tomates, ajoutez quelques herbes, des olives, des anchois. Voici quand même quelques idées de salades plus sophistiquées.

- Mettez des tomates en tranches fines dans un saladier avec des haricots blancs en boîte égouttés. Versez un filet d'huile d'olive, salez et poivrez. Ajoutez un peu d'oignon rouge. Servez en salade ou sur du pain grillé.
- Mélangez des tranches de tomate et d'oignon rouge dans un saladier, ajoutez de l'origan frais, salez et poivrez. Versez un peu d'huile d'olive et ajoutez des croûtons frottés d'ail. Servez aussitôt.

- Mélangez 200 g de ricotta, du basilic frais ciselé et quelques feuilles de thym frais. Salez et poivrez. Servez avec une salade de tomate et concombre ou farcissez-en des tomates cerises. Servez avec un pain aux olives.
- Étalez des tranches de tomate sur une grande assiette, ajoutez des feuilles de persil plat et saupoudrez de cumin en poudre. Nappez d'un mélange d'huile d'olive et de vinaigre balsamique. Servez avec de l'agneau grillé ou du thon mi-cuit déglacé au vinaigre balsamique.
- Émincez 1 oignon rouge et mélangez-le avec 1 cuillerée à soupe de sucre en poudre et 1 pincée de sel. Laissez reposer 30 minutes puis couvrez de vinaigre de cidre. Disposez de fines tranches de tomate sur un grand plat de service et garnissez-les d'oignons marinés bien égouttés. Salez et poivrez. Nappez d'un filet d'huile d'olive.
- Coupez en petits dés 4 tomates et mettez-les dans un bol avec 1 gousse d'ail hachée très finement et 1 poivron grillé détaillé en fines lanières. Salez et poivrez. Ajoutez un peu de piment doux. Nappez d'un mélange d'huile d'olive et de jus de citron. Servez avec des pousses de salade agrémentées de quelques feuilles de menthe et de coriandre.

...ou tomates cuites

Voici deux idées simples pour servir des tomates chaudes en accompagnement.

- Mettez dans une casserole 500 g de tomates cerises, 3 cuillerées à soupe d'eau et 1 cuillerée à soupe de vinaigre balsamique. Ajoutez un peu de romarin frais, salez et poivrez. Faites chauffer à feu vif jusqu'à ce que les tomates commencent à ramollir puis retirez la casserole du feu. Ajoutez un peu d'huile d'olive. Laissez tiédir. Servez avec une salade verte aux olives et des toasts au fromage de chèvre.
- Coupez en deux des tomates olivettes, badigeonnez-les d'huile d'olive et saupoudrez-les d'un peu de thym frais. Faites-les griller au barbecue ou sur un gril en fonte. Vous pouvez les saupoudrer légèrement de sucre juste avant de servir avec des brochettes de viande.
- Mettez des tomates dans un plat et faites-les rôtir au four préchauffé à 200 °C. Sortez-les quand la peau commence à noircir. Retirez cette dernière puis mixez les tomates avec une petite poignée de basilic. Salez et poivrez. Versez le mélange dans une casserole, versez un peu d'eau pour obtenir une soupe assez épaisse et réchauffez-la. Servez-la nappée d'huile d'olive et accompagnée de croûtons frottés d'ail.

les poivrons grillés

1 Préchauffez le four à 200 °C. Disposez une petite grille sur un plat à rôtir et disposez dessus quelques poivrons rouges Faites-les rôtir jusqu'à ce que la peau noircisse et se boursoufle, en les retournant plusieurs fois pour qu'ils grillent sur toutes les faces.

2 Mettez les poivrons dans un récipient, couvrez-les et laissez-les reposer quelques minutes. Ils seront ainsi plus faciles à éplucher.

3 Quand vous pouvez les manipuler sans vous brûler, retirez la peau des poivrons. Coupez-les en quatre pour ôter facilement les pépins et laissez-les reposer jusqu'au moment de les accommoder.

conseils et astuces

● Si vous n'utilisez pas les poivrons tout de suite, mettez-les dans un récipient hermétique, couvrez-les d'huile et gardez-les au réfrigérateur. Vous pouvez également ajouter un peu d'ail très finement haché.

● Les poivrons marinés se conservent plusieurs jours au réfrigérateur. Préparez-en une grande quantité. Vous pourrez ainsi parfumer vos salades de tomate, les servir pour accompagner des grillades ou les mélanger avec des lentilles froides ou de haricots blancs.

● Faites chauffer 2 cuillerées à soupe d'huile dans une poêle pour y faire revenir 1 gousse d'ail pilée, 1 cuillerée à soupe de cumin moulu et 1 poivron rouge coupé en petits dés. Quand le poivron est tendre, ajoutez 200 g de grains de maïs frais et 200 g de haricots noirs en boîte rincés et égouttés. Laissez cuire 5 minutes pour que le maïs soit fondant puis transférez ce mélange dans un saladier. Mélangez dans un bol quelques feuilles de coriandre et de menthe hachées, 1 cuillerée à soupe de sirop de grenade (épiceries orientales), quelques gouttes de Tabasco, du sel et du poivre. Versez la sauce sur la salade, remuez et servez.

les salsas

tomate

Coupez 4 tomates olivettes bien mûres en petits dés et mettez-les dans un saladier avec 10 feuilles de basilic ciselées, 2 cuillerées à soupe d'oignon rouge haché menu, 1/2 cuillerée à soupe d'ail haché très finement, 3 cuillerées à soupe d'huile d'olive, 1 cuillerée à soupe de vinaigre balsamique et 1/2 cuillerée à café de sel. Mélangez bien. Pour accompagner des poissons grillés ou des brochettes de poulet. Pour 4 personnes.

avocat

Choisissez 1 avocat bien mûr mais encore ferme, ôtez-la peau puis le noyau et coupez-le en petits dés. Mettez-le dans un récipient avec 1 concombre du Liban coupé en petits morceaux, 1 petit piment rouge épépiné et émincé très finement, 1 cuillerée à soupe d'oignon rouge haché menu, 3 cuillerées à soupe de jus de citron vert et 1/2 cuillerée à café de sel. Ajoutez 1 poignée de coriandre ciselée et 1 cuillerée à soupe d'huile d'olive. Mélangez délicatement. Servez avec du poulet grillé ou des crevettes en brochettes. Vous pouvez également en garnir des tartines de pain grillé ou des tortillas. Pour 4 personnes.

nori

Détaillez en julienne (en bâtonnets fins) 1 concombre du Liban et 1/2 daïkon. Mettez-les dans un petit saladier avec 1 cuillerée à soupe de gingembre mariné finement haché, 1 cuillerée à soupe de vinaigre de riz, un filet d'huile de sésame, 1/2 piment rouge frais épépiné et émincé et 2 cuillerées à café de graines de sésame légèrement grillées. Faites rôtir une feuille de nori au four préchauffé à 180 °C ; elle doit être croustillante. Détaillez-la alors en fines lanières pour en garnir la salade. Mélangez. Servez avec du riz cuit à la vapeur et du poulet grillé ou un émincé de bœuf juste saisi dans un wok. Pour 4 personnes.

mangue

Coupez 1 belle mangue de part et d'autre du noyau, ôtez la peau et détaillez la chair en dés. Mélangez-la dans un petit saladier avec 1 oignon vert émincé, 1 petit piment rouge frais épépiné et finement haché, 2 cuillerées à soupe de jus de citron vert, un filet d'huile de sésame et du poivre grossièrement moulu. Remuez. Vous pouvez agrémenter cette salsa de quelques feuilles de coriandre ciselées. Servez avec du poulet grillé ou des crevettes sautées au wok. Pour 4 personnes.

Marinées dans un mélange piment, ces crevettes ont un

les marinades

1 La recette proposée ici convient pour les crevettes ou les gambas. Préparez d'abord ces dernières en les décortiquant : ôtez les têtes et fendez les carapaces le long du dos avec des ciseaux de cuisine en gardant les queues. Si vous faites cuire les crevettes au barbecue, gardez les carapaces pour éviter que la chair ne se dessèche.

2 Mélangez dans un bol 2 cuillerées à soupe de gingembre frais râpé, 4 feuilles de citronnier kaffir ciselées, 2 cuillerées à soupe de blanc de citronnelle haché très finement, 1 piment rouge épépiné et émincé, 1 gousse d'ail pilée, le jus de 4 citrons verts et 4 cuillerées à soupe d'huile d'olive.

3 Mettez les crevettes dans un grand plat en verre ou en céramique, versez la marinade et laissez reposer au moins 1 heure au réfrigérateur.

conseils et astuces

- Une recette de marinade encore plus simple pour les crevettes : nappez ces dernières de jus de citron et d'huile d'olive, ajoutez de l'ail pilé et remuez. Cette marinade convient également pour les poissons et certains fruits de mer comme les noix de Saint-Jacques ou les petits calamars.

- Ne laissez pas les poissons et fruits de mer plus d'1 heure dans la marinade car l'acidité du citron ferait cuire les chairs.

- Les marinades pour fruits de mer comportent généralement du citron. Ne les versez jamais dans un récipient en métal.

de citronnelle, gingembre, citron vert et parfum de vacances sur des rivages lointains…

les marinades

poisson

Pour les poissons à chair blanche et ferme, mélangez
1 cuillerée à café de gingembre frais râpé, 2 cuillerées
à soupe de coriandre ciselée, 2 cuillerées à soupe de jus
de citron et 3 cuillerées à soupe d'huile d'olive. Versez sur
les filets de poisson disposés en une seule couche dans
un grand plat. Laissez reposer au moins 30 minutes au frais
en retournant régulièrement le poisson dans sa marinade.
Pour une cuisson au four, à la poêle ou au barbecue.
Pour 4 personnes.

agneau

Mélangez 125 ml de bon vin blanc, 4 cuillerées à soupe
d'huile d'olive, le jus d'1 citron, 1 cuillerée à soupe d'origan
frais ciselé et 1 gousse d'ail hachée très finement. Disposez
les morceaux d'agneau (côtelettes, tranches de filet ou autre)
dans un grand plat, versez la marinade et réfrigérez au
moins 3 heures. Retournez régulièrement la viande. Faites
cuire l'agneau au barbecue ou sous le gril du four ; il doit
être bien doré en restant à peine rosé à cœur. Salez et
poivrez à votre convenance. Laissez reposer 5 minutes avant
de servir. Pour 4 personnes.

Ces marinades aux herbes fraîches se préparent

poulet

Mettez dans un récipient 3 cuillerées à soupe de jus
de citron, 3 cuillerées à soupe d'huile d'olive, 1 cuillerée
à soupe de moutarde de Dijon, 1 cuillerée à café d'ail
finement haché, 1 cuillerée à café de thym frais ciselé
et du poivre grossièrement moulu. Disposez les morceaux
de poulet dans un grand plat et nappez-les de marinade.
Mettez-les 3 heures au réfrigérateur en les retournant
régulièrement. Faites-les griller au barbecue ou sur un gril
en fonte, en les badigeonnant de marinade pendant la
cuisson. Pour 4 personnes.

bœuf

Mélangez dans un récipient 250 ml de bon vin rouge,
2 gousses d'ail finement hachées, 1/2 cuillerée à café
de romarin frais ciselé et 125 ml d'huile d'olive. Remuez
bien. Disposez le bœuf dans un grand plat (vous pouvez
choisir une pièce épaisse ou des pavés de bœuf à griller)
et nappez-le de marinade. Laissez reposer 3 heures au
réfrigérateur en retournant souvent la viande. Faites cuire
la viande au barbecue ou sur un gril en fonte. Salez et
poivrez à votre convenance ; laissez reposer 5 minutes
avant de servir si la pièce est épaisse. Pour 4 personnes.

rapidement pour parfumer viandes et poissons.

des idées pour les beaux jours

tomates à la coriandre
moules à la rouille
crevettes au lait de coco
bœuf teriyaki et salade de wakame
truite de mer marinée au citron
crevettes au citron vert
salade tiède de calamars au tamarin
salade de calamars aux pignons de pin
vivaneau à la sauce aux agrumes
poulet à la citronnelle
crevettes poêlées
thon grillé à la provençale
salade de cresson au canard
truite de mer aux épices
espadon et sauce aux pignons de pin
linguine aux crevettes et aux herbes
nouilles au thé vert et salsa de poivron
salade de blancs de poulet
saumon au four
salade de nouilles japonaises
salade de nouilles aux herbes

tomates à la coriandre

moules à la rouille

tomates à la coriandre

80 g de feuilles de coriandre grossièrement hachées
1 oignon rouge grossièrement haché
2 gros piments rouges épépinés et finement hachés
1 c. à café de sel
3 c. à soupe d'huile d'olive
1 c. à soupe de vinaigre balsamique
4 grosses tomates bien mûres

Mettez la coriandre, l'oignon, les piments, le sel, l'huile d'olive
et le vinaigre dans un saladier. Mélangez. Tranchez les
tomates et disposez-les sur un plat. Nappez-les de sauce
à la coriandre, salez et poivrez. Servez en accompagnement
ou en salade, avec du thon poêlé ou de la ricotta fraîche.
Pour 4 personnes.

moules à la rouille

2 kg de moules
2 c. à soupe d'huile d'olive
1 oignon blanc émincé
2 gousses d'ail écrasées
3 grosses tomates bien mûres coupées en dés
1 feuille de laurier
1 bulbe de fenouil coupé en fines tranches
1 pincée de filaments de safran
1 c. à café de sel
250 ml de vin blanc
15 g de feuilles de persil plat
de la rouille (p. 64)

Nettoyez soigneusement les moules sous un jet d'eau froide,
avec une petite brosse dure. Retirez les petits filaments qui
restent accrochés à la coquille. Jetez celles qui ne se
referment pas lorsque vous les tapotez. Faites chauffer l'huile
à feu doux dans une grande marmite et faites-y fondre
l'oignon et l'ail. Ajoutez les tomates, le laurier, le fenouil
et le safran. Salez et laissez mijoter 10 minutes. Mouillez
avec le vin blanc puis portez à ébullition. Plongez les moules
dans le liquide, couvrez et faites-les ouvrir en secouant la
marmite une ou deux fois. Comptez environ 3 minutes de
cuisson. Jetez les moules qui seraient restées fermées.
Répartissez les autres dans quatre grands bols, parsemez
de persil et servez avec de la rouille et du pain croustillant.
Pour 4 personnes.

crevettes au lait de coco, à la menthe et à la citronnelle

2 c. à soupe de blanc de citronnelle haché très finement
2 c. à soupe de jus de citron vert
1/2 c. à café de sucre de palme râpé ou de sucre roux
250 ml de lait de coco
1 c. à soupe d'huile d'arachide
20 crevettes crues décortiquées, avec la queue
80 g de menthe fraîche
60 g de copeaux de noix de coco légèrement grillés
100 g de germes de soja
2 concombres du Liban en tranches fines
1 citron vert coupé en quartiers

Mélangez dans une casserole la citronnelle, le jus de citron
vert, le sucre et le lait de coco. Remuez vivement pour faire
dissoudre le sucre puis laissez frémir 10 minutes, en remuant
régulièrement. Retirez du feu et laissez refroidir dans un autre
récipient.

Faites chauffer à feu moyen une poêle antiadhésive puis
ajoutez l'huile et tapissez-en le fond de la poêle. Quand elle
est bien chaude, faites-y cuire une partie des crevettes, qui
doivent se colorer de toutes parts. Transférez-les alors dans
la sauce au lait de coco et faites cuire une autre tournée de
crevettes. Répétez l'opération autant de fois que nécessaire.

Mettez les feuilles de menthe dans un saladier avec la noix
de coco, les germes de soja et les concombres en tranches.
Mélangez. Répartissez cette salade sur quatre assiettes de
service et garnissez-la de crevettes cuites. Versez un peu
de sauce sur chaque assiette et présentez le reste à part.
Servez avec des quartiers de citron vert. Pour 4 personnes.

crevettes au lait de coco, à la menthe et à la citronnelle

bœuf teriyaki et salade de wakame

450 g de filet de bœuf
3 c. à soupe de sauce teriyaki
25 g d'algues wakame
4 c. à soupe de vinaigre de riz
3 concombres du Liban
3 c. à soupe de sucre en poudre
1/2 c. à café de sauce de soja brune
3 cm de gingembre pelé et finement râpé
2 beaux radis rouges coupés en tranches fines
1 poignée de cresson lavé et égoutté
1 c. à soupe de graines de sésame

Préchauffez le four à 200 °C. Faites mariner le bœuf
30 minutes dans la sauce teriyaki. Faites chauffer une poêle
antiadhésive pour y faire dorer la viande avant de la mettre
dans un plat allant au four. Laissez-la rôtir 10 minutes.
Faites tremper les wakame dans de l'eau froide pour les
assouplir puis égouttez-les et mettez-les dans un saladier
avec 1 cuillerée à soupe de vinaigre. Ajoutez les concombres
coupés en fines tranches. Faites dissoudre le sucre dans
le reste de vinaigre et la sauce de soja avant d'ajouter le
gingembre. Ajoutez dans le saladier les radis et la sauce.
Remuez.Coupez la viande en fines tranches et répartissez-la
sur des assiettes plates. Garnissez de salade, de cresson
et de graines de sésame. Pour 4 personnes.

truite de mer marinée au citron

4 filets de truite de mer de 150 g chacun, sans peau ni arêtes
2 c. à soupe d'huile d'olive
1 poignée de persil plat grossièrement ciselé
le zeste râpé et le jus d'1 citron
le zeste râpé et le jus d'1 orange
500 g de tomates mûres coupées en petits dés
2 oignons verts émincés
1 c. à soupe de câpres rincées et égouttées

Détaillez les filets de truite en tranches de 4 cm et faites-les
dorer dans une grande poêle 1 minute de chaque côté.
Mettez-les ensuite avec la moitié de l'huile dans un grand plat.
Assaisonnez de sel et de poivre noir grossièrement
moulu.Parsemez le persil sur les morceaux de truite. Ajoutez
le jus de citron, le jus d'orange, les zestes râpés, les tomates,
les oignons émincés et les câpres dans la poêle pour les faire
chauffer 1 minute. Versez ce mélange sur les morceaux de
truite et nappez avec le reste d'huile. Laissez 1 heure au frais
avant de servir. Pour 4 personnes.

crevettes au citron vert

2 c. à soupe de racine de coriandre fraîche hachée
2 c. à soupe de gingembre frais râpé
2 gousses d'ail grossièrement hachées
1 blanc de citronnelle grossièrement haché
120 ml d'huile végétale
1 c. à café de coriandre moulue
20 grosses crevettes crues décortiquées, avec la queue
30 g de feuilles de coriandre fraîche
60 ml de jus de citron vert
125 ml d'huile d'olive
1/2 c. à café de sucre en poudre
20 brochettes en bambou trempées dans l'eau 20 minutes

Mixez la racine de coriandre, le gingembre, l'ail, la citronnelle,
l'huile et la coriandre moulue pour obtenir une pâte
onctueuse. Étalez les crevettes dans un plat en verre ou en
céramique et versez cette pâte dessus. Couvrez et laissez
mariner au moins 1 heure au réfrigérateur. Mixez ensemble
les feuilles de coriandre, le jus de citron vert, l'huile d'olive,
le sucre et 1 pincée de sel. Réservez. Enfilez les crevettes
sur les brochettes en bambou et faites-les griller 5 minutes.
Servez avec la sauce à la coriandre. Pour 20 brochettes.

salade tiède de calamars au tamarin

1 c. à soupe de concentré de tamarin
1 c. à soupe de sucre
2 c. à soupe de nuoc-mâm
1 c. à soupe de jus de citron vert
1 gousse d'ail écrasée
1 petit piment rouge épépiné et taillé en julienne
4 corps de calamars (400 g environ) nettoyés
3 c. à soupe d'huile
15 g de feuilles de basilic hachées
15 g de feuilles de coriandre hachées
90 g de germes de soja

Mélangez le tamarin avec 60 ml d'eau tiède puis ajoutez
le sucre, le nuoc-mâm, le jus de citron vert, l'ail et le piment.
Lavez les calamars puis séchez-les avec du papier
absorbant. Ouvrez-les dans le sens de la longueur et
entaillez-les en losanges sans percer la chair. Faites chauffer
l'huile à feu vif dans une grande poêle et faite-y revenir
les calamars 3 ou 4 minutes de chaque côté. Coupez-les
en morceaux et laissez-les tiédir quelques minutes puis
mélangez-les avec la sauce, les herbes et les germes
de soja. Pour 4 personnes.

salade de calamars aux pignons de pin

vivaneau à la sauce aux agrumes

salade de calamars aux pignons de pin

450 g de petits calamars
4 filets d'anchois finement hachés
2 c. à soupe d'huile d'olive
le zeste et le jus d'1 citron
2 gousses d'ail pilées
150 g de roquette
20 g de feuilles de persil
50 g de copeaux de parmesan
80 g de pignons de pin grillés

Mettez les calamars, les filets d'anchois, l'huile d'olive, le zeste de citron et l'ail dans un récipient puis mélangez soigneusement. Couvrez et laissez mariner 1 heure au moins au frais.

Faites chauffer à feu vif une poêle à fond épais pour y faire saisir les calamars 1 à 2 minutes de chaque côté. Versez ensuite la marinade et poursuivez la cuisson pendant 30 secondes. Retirez du feu et laissez reposer les calamars pendant quelques minutes avant de les découper en fines rondelles. Mettez ces dernières dans un saladier avec le reste des ingrédients, arrosez de jus de citron et mélangez. Pour 4 personnes.

vivaneau à la sauce aux agrumes

2 oranges
1 citron jaune
2 citrons verts
1/2 c. à café de grains de poivre rose concassés
4 c. à soupe d'huile d'olive
2 c. à soupe d'huile de tournesol
4 filets de vivaneau de 200 g chacun, avec la peau

Préchauffez le four à 200 °C.

Pour la sauce, prélevez le zeste des oranges et des citrons et mettez-le dans un saladier. Pressez le citron jaune au-dessus du récipient. Pelez les oranges et les citrons verts à vif et

prélevez les quartiers en ne conservant pas les membranes blanches qui les entourent. Mettez-les dans le saladier avant d'ajouter le poivre et l'huile d'olive. Mélangez soigneusement.

Faites chauffer l'huile de tournesol à feu vif dans une grande poêle. Saupoudrez généreusement le poisson de sel puis posez les filets dans la poêle chaude, la peau tournée vers le bas. Saisissez les filets pendant 1 ou 2 minutes jusqu'à ce que la peau soit croustillante et dorée puis retournez-les. Transférez-les dans un plat à rôtir bien chaud et terminez la cuisson au four pendant 8 minutes. Nappez-les de sauce aux agrumes et servez sans attendre. Pour 4 personnes.

poulet à la citronnelle

le zeste râpé et le jus d'1 citron vert
1 blanc de citronnelle haché très finement
2 gousses d'ail sans la peau
2 cm de gingembre pelé et haché
1 long piment rouge frais épépiné
2 c. à café de nuoc-mâm
4 blancs de poulet
2 c. à soupe d'huile d'olive

Préchauffez le four à 200 °C.

Mixez ensemble le zeste de citron, la citronnelle, l'ail, le gingembre, le piment et le nuoc-mâm pour obtenir une pâte épaisse. Étalez-la sur les blancs de poulet avant de les mettre dans un plat à rôtir. Nappez d'huile d'olive et de jus de citron vert. Salez et poivrez. Couvrez d'une feuille de papier alu et faites cuire la viande au four pendant 25 minutes environ. Quand elle est à point, retirez-la du four, laissez-la reposer quelques minutes puis découpez-la en tranches épaisses.

Pour servir, nappez les blancs de poulet de sa sauce de cuisson et accompagnez de légumes verts chinois cuits à la vapeur et de riz blanc. Pour 4 personnes.

Choisissez de préférence un accompagnement simple pour servir avec ces recettes très parfumées.

poulet à la citronnelle

crevettes poêlées et salade de concombre et haricot

16 grosses crevettes crues
2 c. à soupe d'huile d'olive
4 c. à soupe de jus de citron
15 g de feuilles de menthe
1 poivron vert épépiné
1 c. à café de cumin moulu
1 c. à café de sucre
1 c. à soupe de gingembre frais râpé
5 c. à soupe de yaourt à la grecque
10 pois gourmands blanchis
1 concombre du Liban coupé en dés
30 g de feuilles de coriandre

Décortiquez les crevettes en gardant les queues. Mettez-les dans un saladier avec l'huile d'olive et 1 cuillerée à soupe de jus de citron. Mélangez. Mixez les feuilles de menthe, le reste de jus de citron, le poivron, le cumin, le sucre et le gingembre. Ajoutez le yaourt. Salez et poivrez. Faites chauffer une poêle à feu vif et saisissez-y les crevettes en plusieurs fois. Répartissez les **pois gourmands**, les dés de concombre et les feuilles de coriandre sur quatre assiettes et garnissez de crevettes chaudes. Nappez de sauce au yaourt et servez avec du riz. Pour 4 personnes.

thon grillé à la provençale

10 tomates cerises coupées en deux
10 feuilles de basilic grossièrement ciselées
20 petites olives noires
2 c. à soupe de vinaigre balsamique
4 c. à soupe d'huile d'olive
4 pavés de thon de 150 g chacun
150 g de roquette

Mélangez dans un saladier les tomates, le basilic, les olives, le vinaigre et l'huile d'olive. Salez et poivrez. Remuez et réservez au frais. Huilez légèrement une grande poêle pour y faire revenir le thon 1 minute d'un côté à feu vif et 3 minutes de l'autre à feu moyen : il doit rester mi-cuit à cœur.

Disposez les pavés de thon sur les assiettes de service, garnissez de roquette et de salade de tomates. Pour 4 personnes.

salade de cresson au canard

120 ml de vin moelleux
120 ml de jus d'orange
1 c. à soupe de sauce de soja
1 c. à café d'huile de sésame
1 c. à café de sucre
1 c. à café de gingembre frais râpé
1 canard chinois rôti
110 g de pois gourmands nettoyés
400 g de cresson
200 g de châtaignes d'eau en boîte, coupées en tranches

Versez le vin et le jus d'orange dans une petite casserole et portez à ébullition puis laissez mijoter quelques minutes. Versez ce mélange dans un récipient et incorporez la sauce de soja, l'huile de sésame, le sucre et le gingembre. Retirez la peau du canard et coupez-la en fines lanières avant de la faire griller sur une plaque en fonte. Détaillez la chair du canard en lanières et ajoutez-la à la sauce. Faites blanchir les pois gourmands dans de l'eau bouillante. Mélangez le canard en sauce avec le cresson, les châtaignes d'eau, les pois gourmands et la peau croustillante. Pour 4 personnes.

truite de mer aux épices

550 g de filets de truite de mer, sans peau ni arêtes
1 c. à café d'huile de sésame
4 petits oignons verts coupés en morceaux de 3 cm
180 ml de vinaigre de cidre
55 g de sucre en poudre
2 cm de gingembre pelé et taillé en julienne
2 gros piments rouges épépinés et finement tranchés
1 blanc de citronnelle finement haché
4 étoiles d'anis
1 c. à café de grains de poivre du Sichuan

Découpez le poisson en tranches d'1 cm d'épaisseur et mettez-le dans un grand plat. Mettez l'huile de sésame et les oignons verts dans une casserole et faites revenir à feu moyen. Mouillez avec 500 ml d'eau puis ajoutez le vinaigre, le sucre, le gingembre, les piments, la citronnelle, l'anis et le poivre. Portez à ébullition en remuant puis versez la sauce chaude sur le poisson. Laissez refroidir. Servez avec des nouilles udon froides. Pour 4 personnes.

espadon et sauce aux pignons de pin

linguine aux crevettes et aux herbes

espadon et sauce aux pignons de pin

1 tranche de pain de mie sans la croûte
60 g de pignons de pin
1/2 gousse d'ail
2 c. à soupe de jus de citron
1 c. à soupe d'huile d'olive
4 darnes d'espadon de 175 g chacune

Faites tremper le pain dans de l'eau froide puis pressez-le entre vos mains. Mixez les pignons de pin, le pain, l'ail et le jus de citron pour obtenir une pâte lisse. Délayez cette pâte avec un peu d'eau si nécessaire (60 ml environ).

Faites chauffer l'huile à feu vif dans une grande poêle pour y faire dorer les darnes d'espadon 2 minutes sur une face. Baissez ensuite le feu, retournez les darnes et poursuivez la cuisson 2 à 3 minutes sur l'autre face. Disposez les darnes d'espadon sur les assiettes de service, nappez de sauce et servez avec une salade de tomates, oignons rouges et basilic. Pour 4 personnes.

linguine aux crevettes et aux herbes

400 g de linguine ou de spaghettis
100 ml d'huile d'olive
3 gousses d'ail pelées puis grossièrement hachées
16 crevettes crues décortiquées, la queue intacte
250 g de tomates cerises coupées en deux
1 poignée de persil plat ciselé
12 feuilles de basilic grossièrement ciselées
30 g de ciboulette ciselée
le jus d'1 citron

Faites cuire les pâtes dans un grand volume d'eau bouillante salée. Pendant ce temps, faites chauffer l'huile dans une poêle pour y faire revenir l'ail et les crevettes jusqu'à ce que celles-ci se colorent. Ajoutez les tomates et laissez cuire le tout encore 1 minute.

Égouttez les pâtes et remettez-les dans le faitout. Ajoutez les crevettes aux tomates, les herbes ciselées et le jus de citron. Salez et poivrez. Remuez et servez sans attendre.
Pour 4 personnes.

nouilles au thé vert et salsa de poivron

2 blancs de citronnelle finement hachés
1 c. à soupe de gingembre frais râpé
3 c. à soupe de sauce de soja
3 c. à soupe d'huile de sésame
2 c. à soupe de vinaigre balsamique
2 c. à soupe de sucre roux
le jus d'1 citron
300 g de nouille sèches au thé vert
2 oignons verts émincés
90 g de feuilles de coriandre fraîche
1 poivron rouge coupé en petits dés
1 poivron jaune coupé en petits dés

Mélangez dans un récipient la citronnelle, le gingembre, la sauce de soja, l'huile de sésame, le vinaigre, le sucre et le jus de citron. Remuez vivement pour faire dissoudre le sucre.

Faites cuire les nouilles au thé 5 minutes environ dans un grand volume d'eau bouillante salée. Égouttez-les bien et mettez-les dans un saladier. Versez la sauce dessus et remuez délicatement. Ajoutez les oignons verts, la coriandre et les poivrons. Remuez à nouveau et servez dans de grands bols chinois. Vous pouvez accompagner ces nouilles de crevettes ou de blancs de poulet grillés. Pour 4 personnes.

Des nouilles colorées servies avec une salsa fraîche formeront un accompagnement idéal pour un poisson juste doré à la poêle.

nouilles au thé vert et salsa de poivron

salade de blancs de poulet

4 petits oignons verts avec leurs tiges
1 blanc de citronnelle écrasé
1 bouquet de coriandre avec ses racines
1 c. à soupe de sel
4 blancs de poulet
400 g de riz jasmin
90 g de menthe fraîche
1 gros piment rouge épépiné et finement haché
300 g de tofu soyeux ferme (silken) en 4 tranches épaisses

Mettez les tiges des oignons dans une casserole remplie d'eau, avec la citronnelle, les tiges et les racines du bouquet de coriandre. Ajoutez le sel et portez à ébullition. Faites pocher les blancs de poulet dans ce bouillon puis couvrez la casserole et ôtez-la du feu. Laissez-y les blancs de poulet pendant 40 minutes puis sortez-les du bouillon. Coupez-les en tranches. Mettez le riz dans une casserole avec 700 ml du bouillon filtré. Portez à ébullition, couvrez et faites cuire 25 minutes, jusqu'à ce que tout le bouillon soit absorbé. Ciselez les feuilles de menthe. Ajoutez dans le riz les bulbes des oignons verts émincés, la menthe ciselée, les feuilles de coriandre, le piment et le poulet puis mélangez. Répartissez la préparation dans les assiettes et garnissez avec une tranche de tofu. Servez avec de la sauce de soja et des quartiers de citron vert. Pour 4 personnes.

saumon au four et salade de hijiki et de daïkon

2 c. à soupe de hijiki
6 prunes au sirop sans les noyaux
4 c. à soupe de mirin
2 c. à café d'huile de sésame
4 filets de saumon de 200 g chacun avec la peau
2 c. à soupe d'huile
300 g de daïkon taillé en julienne
1 c. à soupe de gingembre mariné coupé en fines tranches
1 c. à soupe de jus de gingembre mariné
400 g de cresson (les feuilles uniquement)

Préchauffez le four à 180 °C. Mettez les hijiki à tremper dans de l'eau tiède pendant 20 minutes. Écrasez les prunes puis mélangez-les au mirin et à l'huile de sésame. Frottez la chair du poisson avec la préparation aux prunes. Faites chauffer l'huile à feu vif dans une poêle pour y faire revenir les filets de saumon, la peau vers le bas, puis mettez-les dans un plat et terminez la cuisson au four pendant 10 minutes. Mélangez le hijiki, le daïkon, le gingembre et le jus de gingembre dans un saladier avant d'ajouter les feuilles de cresson. Dressez la salade sur les assiettes puis garnissez-la de filets de saumon. Pour 4 personnes.

salade de nouilles japonaises

4 c. à soupe de hijiki
1 c. à café de dashi en granulés
12 cl de sauce de soja
6 cl de mirin
1 c. à café de sucre
1 c. à soupe de gingembre mariné finement haché
4 petits oignons verts émincés en biais
300 g de nouilles soba
500 g de daïkon taillé en julienne
1 concombre du Liban taillé en julienne
20 feuilles de menthe grossièrement ciselées

Faites tremper le hijiki dans de l'eau tiède pendant 30 minutes puis égouttez-le. Mettez 370 ml d'eau dans une casserole, ajoutez le dashi, la sauce de soja, le mirin et le sucre. Portez à ébullition puis retirez du feu et laissez refroidir. Ajoutez le gingembre et les oignons. Faites cuire les nouilles 4 minutes à l'eau bouillante puis égouttez-les et rincez-les sous l'eau froide. Mélangez tous les ingrédients et la sauce dans un saladier. Servez dans des bols. Pour 4 personnes.

salade de nouilles aux herbes

3 c. à soupe de sauce de soja
3 c. à soupe d'huile de sésame
1 c. à soupe de vinaigre chinois
3 c. à soupe de sucre de palme râpé ou de sucre roux
3 c. à soupe de jus de citron vert
1 c. à soupe de blanc de citronnelle haché
1 piment rouge épépiné et émincé
300 g de nouilles de sarrasin (soba)
5 cm de gingembre pelé et détaillé en julienne
80 g de menthe fraîche
90 g de coriandre fraîche
12 cm de daïkon pelé et détaillé en julienne

Mélangez dans un saladier la sauce de soja, l'huile, le vinaigre, le sucre de palme, le jus de citron, la citronnelle et le piment. Faites cuire les nouilles dans un grand volume d'eau bouillante salée puis égouttez-les et rincez-les à l'eau froide. Mettez-les dans le saladier et mélangez. Ajoutez le gingembre, les herbes ciselées et le daïkon. Pour 4 personnes.

l'heure du thé

Quand règne dans la cuisine une chaude odeur de gâteaux, qu'une table est prête pour accueillir petits et grands autour d'une tasse de thé ou de chocolat, on peut s'accorder une pause gourmande. Pour rendre ce moment encore plus joyeux, faites-vous aider de petites mains zélées.

pour débuter

les cakes et leurs garnitures

les glaçages ou les décors colorés

les génoises

bouchées classiques pour l'heure du thé

les scones ou les biscuits

recevoir pour le thé

Un glaçage sobre à base de transforme un gâteau tout simple

les cakes

1 Préchauffez le four à 180 °C. Graissez légèrement un moule rond de 23 cm de diamètre et tapissez-en le fond et les côtés de papier sulfurisé.

2 Mélangez au batteur électrique 250 g de beurre doux ramolli et 225 g de sucre en poudre. Quand le mélange forme une mousse claire, incorporez sans cesser de battre 3 œufs, 125 ml de lait et 1 cuillerée à soupe d'extrait naturel de vanille. Ajoutez enfin 250 g de farine.

3 Faites cuire 1 heure au four. Pour vérifier la cuisson, piquez le centre du gâteau avec la pointe d'un couteau : elle doit ressortir propre. Laissez reposer le cake quelques minutes hors du four avant de le démouler sur une grille en métal. Attendez qu'il soit complètement refroidi pour ajouter le glaçage de votre choix (p. 190).

conseils et astuces

● Le pire qui puisse arriver avec un cake, c'est que vous ne puissiez le démouler correctement. Pour éviter ce désagrément, préparez très bien le moule. Beurrez le fond et les côtés. Dessinez sur une feuille de papier sulfurisé un disque du même diamètre que celui de la base du moule et découpez ce disque en ajoutant un bord de 1 cm au moins. Faites ensuite de part en part des petites entailles jusqu'au disque dessiné : vous pourrez relever le bord de papier. Coupez enfin une bande de papier un peu plus haute que le moule et ajustez-la sur les côtés.

● Vous pouvez aussi tout simplement beurrer généreusement le moule puis le fariner. Retournez-le en le tapotant pour éliminer l'excédent. La farine empêchera la pâte de coller.

beurre, d'œufs et d'une touche de vanille en un dessert très alléchant. Idéal pour le thé…

les classiques

cake au citron

Préparez un cake (p. 186). Pendant qu'il est en train de cuire, prélevez le jus et le zeste de 4 oranges, de 4 citrons et de 4 citrons verts. Mélangez les jus avec 225 g de sucre en poudre dans une casserole et laissez chauffer à feu moyen en remuant bien. Laissez ensuite frémir 20 minutes pour que le sirop épaississe. Ajoutez les zestes, laissez cuire encore 1 minute puis retirez la casserole du feu. Quand le gâteau est cuit, démoulez-le sur une grille, retournez-le et piquez-le en plusieurs endroits avec une brochette. Versez la plus grande partie du sirop chaud dessus ; réservez les zestes. Quand le gâteau est complètement froid, présentez-le sur une grande assiette, versez dessus le reste du sirop et décorez-le avec les zestes. Pour 10 personnes.

bouchées papillons aux fraises

Préchauffez le four à 180 °C. Garnissez 12 petits moules à cake de caissettes en papier. Battez 175 g de beurre doux ramolli avec 175 g de sucre en poudre pour obtenir un mélange mousseux et clair. Ajoutez 3 œufs, 125 ml de lait et 1 cuillerée à soupe d'extrait naturel de vanille. Mélangez bien avant d'incorporer 175 g de farine à levure incorporée. Répartissez la pâte dans les moules et faites cuire 15 à 20 minutes au four. Transférez ensuite les gâteaux sur une grille en métal pour les faire refroidir puis saupoudrez-les de sucre glace ou donnez-leur une forme plus décorative : découpez le sommet et recoupez-le en deux, creusez légèrement l'intérieur pour le garnir de crème fouettée, plantez les deux moitiés de chapeau en biais dans la crème et garnissez de morceaux de fraises. Pour 12 bouchées.

gâteau à l'orange et au pavot

Préchauffez le four à 180 °C. Graissez un moule à charnière et tapissez le fond de papier sulfurisé. Fouettez 250 g de beurre doux ramolli et 225 g de sucre en poudre pour obtenir un mélange clair et mousseux. Ajoutez 3 œufs légèrement battus, 2 cuillerées à soupe de graines de pavot, 1 cuillerée à soupe de zeste d'orange râpé et 125 ml de lait. Mélangez bien avant d'incorporer 250 g de farine à levure incorporée. Versez la pâte dans le moule et faites cuire 1 heure au four. Démoulez le gâteau sur une grille en métal et laissez-le refroidir. Au moment de servir, présentez-le sur un grand plat après l'avoir nappé de glaçage à l'orange (p. 190) ou saupoudré de sucre glace. Pour 10 personnes.

moelleux au chocolat

Préchauffez le four à 180 °C. Graissez un moule à charnière et tapissez le fond de papier sulfurisé. Fouettez 250 g de beurre doux ramolli et 225 g de sucre en poudre pour obtenir un mélange clair et mousseux. Ajoutez 3 œufs légèrement battus, 125 ml de lait et 1 cuillerée à soupe d'extrait naturel de vanille. Mélangez bien avant d'incorporer 3 cuillerées à soupe de cacao en poudre et 150 g de farine à levure incorporée. Versez la pâte dans le moule et faites cuire 50 minutes au four. Démoulez le gâteau sur une grille en métal et laissez-le refroidir. Au moment de servir, présentez-le sur un grand plat après l'avoir nappé de glaçage au chocolat (p. 190). Pour 10 personnes.

Aromatisés ou simplement colorés, les plus basiques donnent aux

les glaçages

1 Mélangez 125 g de sucre glace et 1 cuillerée à soupe de beurre doux fondu. Ajoutez 1 cuillerée à soupe d'eau, de jus de citron ou de jus d'orange.

2 Selon la consistance désirée, ajoutez un peu plus de liquide, par petite quantité à chaque fois. Ajoutez de même, cuillerée par cuillerée, du colorant alimentaire si vous voulez un glaçage en couleur.

3 Étalez le glaçage à l'aide d'une spatule ou d'un couteau plat. Pour obtenir un glaçage lisse, travaillez avec une spatule ou un couteau préalablement trempés dans de l'eau très chaude. Pour 1 grand cake ou pour 24 petits cakes.

conseils et astuces

● Ne posez le glaçage que lorsque le gâteau est complètement refroidi. Si vous manquez de temps et que le gâteau est encore tiède, préparez un glaçage léger et contentez-vous d'en napper simplement le dessus du cake.

● Pour un glaçage épais et riche, mélangez 3 cuillerées à soupe de sucre glace, 1 cuillerée à café d'extrait naturel de vanille et 250 ml de crème fraîche épaisse.

● Pour un glaçage au chocolat, faites fondre à feu doux 200 g de chocolat noir en morceaux dans 150 ml de crème liquide. Quand le mélange est homogène, retirez la casserole du feu et laissez tiédir. Le glaçage doit être à peine chaud pour être étalé (trop froid, il va se solidifier et vous ne pourrez pas le travailler).

parfois enrichis de décors sucrés, les nappages gâteaux un air de fête pour attirer les gourmands.

décors et paillettes

Pour un anniversaire, une fête ou tout simplement parce que vous avez gardé votre âme d'enfant, amusez-vous à décorer cakes et gâteaux. Outre les glaçages colorés, vous pouvez utiliser de très nombreux petits motifs en sucre pour mettre de la couleur sur un gâteau tout simple. Pour faire tenir tous ces décors, commencez par glacer le ou les gâteaux.

Si vous n'êtes pas tenté par ces friandises décoratives, contentez-vous de saupoudrer un cake au chocolat d'un peu de cacao ou de poser un fin glaçage sur un gâteau avant de le garnir de zeste d'orange ou d'amandes grillées…

feux d'artifices…

Les petits cakes sont une invitation à laisser parler son imagination. Pour un buffet, une barbecue-party, un goûter d'enfants, l'œil se laisse séduire pas ces plateaux de petites bouchées de formes et de couleurs différentes, avec des billes argentées ou dorées, des décors en sucre candi, des noms écrits sur des glaçages technicolors… Pour donner une teinte vive à un glaçage, ajoutez du colorant alimentaire mais procédez toujours par petite touche : vous pourrez toujours compléter si le résultat vous semble fade mais vous devrez tout recommencer si la couleur est trop prononcée. Si vous ne voulez pas utiliser des colorants non naturels, incorporez au glaçage de la pulpe de fruits : framboises, cassis, fraises mais aussi des zestes de citron vert ou d'orange ou encore des feuilles de menthe…

En grandes surfaces ou dans les épiceries fines, vous trouverez plein de motifs en sucre : étoiles, pétales de fleurs, lettres, petits cœurs, perles de sucre de toutes les couleurs, etc. Achetez-en un assortiment si vos convives sont nombreux ou si vous aimez préparer souvent des mini-cakes.

Pour dessiner des décors avec du chocolat fondu ou avec un glaçage coloré, investissez dans une poche à douille munie d'embouts de tailles différentes.

…ou décor discret

Il n'est pas indispensable d'avoir recours à des motifs de toutes les couleurs pour présenter joliment un cake. Prévoyez une couverte simple mais pensez à harmoniser le parfum du glaçage avec celui que vous aurez pu apporter à votre gâteau. Ainsi, un cake aux fruits secs pourra être décoré de noix ou amandes légèrement grillées et pilées grossièrement. Sur un gâteau à l'orange, vous pourrez disposer des zestes confits…

- Mettez des zestes de citron coupés en très fines lanières dans une casserole avec un peu d'eau froide. Faites chauffer jusqu'au point d'ébullition puis retirez la casserole du feu et égouttez les zestes. Remettez-les dans la casserole, couvrez-les à nouveau d'eau froide puis faites-les chauffer à nouveau jusqu'au point d'ébullition. Répétez encore une fois cette opération. Mettez 115 g de sucre en poudre et 125 ml d'eau dans une autre casserole et portez à ébullition en remuant bien pour faire dissoudre le sucre. Baissez le feu et ajoutez les zestes de citron puis laissez frémir 2 minutes. Sortez les zestes du sirop avec une écumoire et roulez-les dans une assiette ou vous aurez disposé une couche épaisse de sucre en poudre. Laissez-les reposer toute une nuit dans cette assiette.

- Sur un cake aromatisé à l'eau de rose, étalez un glaçage blanc très fin et décorez de pétales de rose ou de petites violettes en sucre.

- Si vous souhaitez confectionner vous-même des pétales sucrés, procurez-vous des fleurs non traitées (roses ou violettes). Fouettez légèrement 2 blancs d'œufs puis badigeonnez-en les pétales avant de les passer délicatement dans une assiette de sucre en poudre très fin. Retournez-les plusieurs fois dans le sucre pour qu'ils en soient couverts puis laissez-les reposer toute une nuit dans l'assiette.

- Rouges et brillantes, les cerises peuvent composer un décor très simple. Disposez-les en cercles sur un gâteau (gardez les queues). Vous pouvez aussi les couper en deux, ôter le noyau et les plonger rapidement dans un sirop de sucre tiède. Tapissez-en le dessus d'un cake. Fraises et framboises se prêtent aussi à former un beau décor mais vous les utiliserez crues, sur un gâteau nappé d'un glaçage au chocolat par exemple.

les génoises

1 Préchauffez le four à 190 °C. Beurrez le fond et les côtés d'un moule rond puis farinez-en légèrement l'intérieur. Cassez 2 œufs et séparez les blancs des jaunes. Fouettez les jaunes d'œufs avec 115 g de sucre puis ajoutez 2 cuillerées à soupe d'eau chaude. Continuez à battre 8 minutes environ pour obtenir un mélange très clair.

2 Tamisez 70 g de farine et 1/2 cuillerée à café de levure dans une assiette, mélangez puis incorporez petit à petit ce mélange aux jaunes d'œufs battus. Travaillez en plusieurs fois pour éviter les grumeaux.

3 Montez les blancs d'œufs en neige ferme avant de les incorporer en deux fois à la pâte. Versez le tout dans le moule et faites cuire la génoise au four pendant 20 minutes. Démoulez-la sur une grille et laissez-la refroidir à température ambiante. Servez-la nappée de crème fouettée et de pulpe de fruits de la passion. Pour 1 génoise.

conseils et astuces

● Une génoise doit rester très légère. Les blancs en neige seront bien fermes pour donner une pâte aérée et la farine doit absolument être tamisée. Ne la mélangez pas trop vivement aux œufs mais travaillez d'une main légère.

● Si vous souhaitez faire une génoise fourrée, divisez la pâte en deux et faites-la cuire dans deux moules séparés, en ajustant le temps de cuisson. Vous pouvez aussi verser la pâte dans un grand plat rectangulaire peu profond pour préparer un gâteau roulé.

● La génoise se prête à de nombreux accommodements : confitures ou gelées, fruits frais et crème fouettée, chocolat fondu…

194

bouchées classiques

au chocolat

Préchauffez le four à 180 °C. Beurrez un moule carré.
Mélangez 250 g de beurre doux fondu avec 325 g de sucre
en poudre dans une casserole en remuant bien pour faire
dissoudre le sucre. Retirez alors la casserole du feu. Tamisez
dans un récipient 90 g de cacao en poudre, 4 cuillerées
à soupe de farine, 1/2 cuillerée à café de levure et 1 pincée
de sel. Formez un puits au centre puis versez-y le beurre
fondu. Ajoutez 4 œufs, 125 g de noix concassées et 200 g
de chocolat noir râpé. Mélangez bien puis versez la pâte
dans le moule. Faites cuire 30 minutes environ au four.
Laissez le gâteau refroidir avant de démouler. Quand il est
froid, coupez-le en petits carrés. Saupoudrez ces derniers
de cacao. Pour 20 bouchées.

au citron

Préchauffez le four à 180 °C. Beurrez un moule carré.
Fouettez dans un récipient 125 g de beurre doux ramolli
et 60 g de sucre glace. Ajoutez 1 cuillerée à café d'extrait
naturel de vanille puis 175 g de farine et 1 cuillerée à café
de zeste de citron râpé. Versez la pâte dans le moule en
la tassant bien et faites-la cuire 15 minutes au four. Tamisez
dans un récipient 90 g de farine et 1/2 cuillerée à café de
levure. Ajoutez 85 g d'amandes en poudre. Dans un autre
récipient, battez 3 œufs, 225 g de sucre en poudre, 185 ml
de jus de citron et 2 cuillerées à soupe de zeste de citron
râpé. Incorporez les ingrédients secs et couvrez-en le gâteau
dans le moule. Faites cuire 20 minutes au four. Laissez
le gâteau refroidir dans le moule puis découpez-le en
rectangles. Saupoudrez de sucre glace. Pour 18 bouchées.

au caramel

Préchauffez le four à 180 °C. Beurrez un moule rectangulaire.
Fouettez 125 g de farine, 90 g de beurre doux ramolli et
3 cuillerées à soupe de sucre en poudre. Étalez cette pâte
au fond du moule. Piquez-la à la fourchette et faites-la cuire
15 minutes environ pour qu'elle dore. Mettez dans une
casserole 400 ml de lait condensé sucré, 2 cuillerées à café de
beurre doux et 2 cuillerées à soupe de caramel liquide. Laissez
chauffer 10 minutes en remuant sans cesse. Le mélange ne
doit pas bouillir. Retirez la casserole du feu et laissez tiédir
10 minutes à température ambiante avant de verser ce caramel
dans le moule. Faites cuire à nouveau le gâteau 10 minutes
pour que la garniture soit ferme. Sortez alors le gâteau du four.
Quand il est bien froid, nappez-le de chocolat noir fondu.
Laissez ce dernier raffermir avant de découper le gâteau en
carrés. Pour 18 bouchées.

à la noix de coco

Préchauffez le four à 180 °C. Beurrez un moule rectangulaire.
Faites fondre à feu doux dans une casserole 125 g de beurre
doux et 150 g de chocolat blanc en morceaux. Ajoutez
175 g de sucre en poudre et mélangez bien. Versez cette
préparation dans un récipient puis incorporez 125 g de farine
à levure incorporée et 90 g de noix de coco râpée. Mélangez
avant d'ajouter 2 œufs battus. Travaillez la pâte à la cuillère
en bois pour amalgamer les ingrédients mais sans remuer
trop puis ajoutez-y 150 g de framboises fraîches. Versez
la pâte dans le moule et faites-la cuire 40 minutes au four.
Laissez la refroidir avant de la démouler. Coupez-la en
carrés et saupoudrez ces derniers de sucre glace.
Pour 20 bouchées.

Un secret de famille pour servir
il faut les sortir du four au moment

les scones

1. Préchauffez le four à 200 °C. Tapissez de papier sulfurisé une plaque de cuisson. Tamisez 400 g de farine dans un récipient. Ajoutez 1 bonne pincée de sel, 3 cuillerées à café de levure en poudre, 2 cuillerées à soupe de sucre et 85 g de beurre doux très froid coupé en petits morceaux. Travaillez les ingrédients du bout des doigts pour obtenir un mélange grumeleux.

2. Dans un autre récipient, mélangez 1 cuillerée à soupe de jus de citron, 200 ml de lait et 2 œufs battus. Versez progressivement ce liquide sur les ingrédients secs en mélangeant puis roulez la pâte en boule et mettez-la sur un plan de travail fariné. Pétrissez-la très rapidement.

3. Abaissez la pâte à 3 cm d'épaisseur et découpez dedans des disques avec un emporte-pièce. Mettez-les sur la plaque de cuisson et faites-les cuire 12 minutes au four. Pour 15 scones.

conseils et astuces

● Les scones sont meilleurs chauds, à la sortie du four. Comme cette pâte n'est pas très longue à préparer, inutile de la faire la veille… Si vous voulez gagner un peu de temps, vous pouvez préparer séparément à l'avance le mélange beurre-farine et le mélange œufs-lait.

● Servez les scones avec du beurre et de la confiture. Vous pouvez aussi les parfumer au fromage : remplacez le sucre par 1/2 cuillerée à café de paprika et ajoutez à la pâte 60 g de fromage râpé. Essayez aussi avec des herbes fraîches et servez les scones avec de la crème épaisse et du saumon fumé.

les meilleurs scones du monde :
même où les convives arrivent...

les biscuits

macarons à la crème

Préchauffez le four à 170 °C. Graissez une plaque de cuisson et tapissez-la de papier sulfurisé. Travaillez au fouet électrique 250 g de beurre doux ramolli, 1 cuillerée à café d'extrait naturel de vanille et 60 g de sucre glace. Incorporez en deux fois 175 g de farine et 60 g de Maïzena (tamisez-les d'abord dans un récipient). Formez des petites boules de pâte et mettez-les sur la plaque de cuisson en les aplatissant légèrement (si la pâte adhère, farinez vos mains). Faites cuire les bouchées au four pendant 12 à 15 minutes pour qu'elles soient juste dorées et cuites à l'intérieur puis laissez-les refroidir sur une grille en métal. Fouettez dans un récipient 85 g de beurre ramolli, 85 g de sucre glace et 1 cuillerée à soupe de jus de fruit de la passion. Formez des macarons en les garnissant de beurre parfumé. Saupoudrez-les de sucre glace. Pour 24 macarons.

palets aux flocons d'avoine

Préchauffez le four à 180 °C. Graissez une plaque de cuisson et tapissez-la de papier sulfurisé. Tamisez dans un récipient 125 g de farine, ajoutez 100 g de flocons d'avoine, 90 de noix de coco râpée, 225 g de sucre et 1 pincée de sel. Faites fondre 125 g de beurre doux avec 3 cuillerées à soupe de sirop de sucre dans une casserole. Dans un bol, mélangez 2 cuillerées à soupe d'eau bouillante et 1 cuillerée à café de bicarbonate de soude. Versez le mélange dans la casserole en remuant puis incorporez le contenu de la casserole aux ingrédients secs. Vous devez obtenir une pâte homogène. Formez des petits palets ronds de pâte sur la plaque de cuisson en les espaçant et faites-les cuire entre 12 à 15 minutes au four pour qu'ils dorent bien. Laissez-les refroidir puis mettez-les dans un récipient hermétique. Pour 30 palets.

florentins

Préchauffez le four à 180 °C. Graissez une plaque de cuisson et tapissez-la de papier sulfurisé. Hachez grossièrement 50 g de raisins secs, 50 g de gingembre confit et 100 g d'amandes effilées. Faites chauffer à feu moyen 100 g de beurre doux et 100 g de sucre en poudre en remuant bien pour faire dissoudre le sucre puis portez à ébullition. Laissez mousser 1 minute avant de verser le mélange sur les fruits secs. Formez des petits palets ronds de ce mélange sur la plaque de cuisson et faites-les cuire 10 minutes au four. Laissez les florentins refroidir 5 minutes avant de les décoller du papier. Faites fondre 100 g de chocolat noir dans une casserole et badigeonnez-en les florentins sur la face inférieure. Dégustez dans les 3 jours. Pour 20 florentins.

cookies aux pépites de chocolat

Préchauffez le four à 180 °C. Graissez une plaque de cuisson et tapissez-la de papier sulfurisé. Fouettez 125 g de beurre doux ramolli et 175 g de sucre roux pour obtenir un mélange mousseux. Ajoutez 1 cuillerée à café d'extrait naturel de vanille, 1 cuillerée à soupe de lait et 1 œuf battu puis incorporez 175 g de farine et 1 cuillerée à café de levure. Quand la pâte est homogène, ajoutez-y 250 g de pépites de chocolat. Formez des petits palets ronds de ce mélange sur la plaque de cuisson et faites-les cuire 15 minutes au four. Quand ils sont complètement froids, conservez-les dans un récipient hermétique. Pour 20 cookies.

recevoir pour le thé

On peut aimer réunir ses amis dans l'après-midi autour d'un assortiment de douceurs. Pour les inconditionnels du thé, une table sera préparée avec une belle théière et des tasses élégantes, assorties ou non, ainsi que tous les ustensiles indispensables à la préparation et au service du thé. Petits gâteaux ou sandwichs miniatures, scones ou muffins seront disposés sur de belles assiettes. Dans des coupelles, il y aura un assortiment varié de confitures. Et deux beurriers : un pour le beurre demi-sel, un autre pour le beurre doux. Des serviettes en tissus ou en papier, des assiettes à dessert, des couverts… Vous pouvez jouer la carte traditionnelle en sortant un service ancien ou bien préférer la fantaisie avec des assiettes de toutes les couleurs, des tasses aux formes variées, etc. Dans ce cas, essayez de garder un fil conducteur (des formes différentes mais une seule couleur en camaïeu ou des couleurs différentes mais une forme unique)… La table est prête et n'attend plus que les convives. Si vous voulez perfectionner le cadre de votre réception, prenant le temps de feuilleter régulièrement des magazines de décoration pour y piocher des idées.

le service du thé

Choisissez un très bon thé dans un magasin spécialisé. Vous pouvez également proposer un thé parfumé (cannelle, fruits, vanille…) mais, dans ce cas, prévoyez aussi un thé classique (darjeeling ou earl grey) pour ceux qui n'aiment pas trop les saveurs mélangées. Ces derniers se marient avec de nombreuses recettes tandis que certains thés parfumés sont plus difficiles à associer. Sachez quand même qu'un thé aux fruits rouges est parfait pour accompagner des scones à la confiture de framboise ou de fraise, qu' un thé au citron se servira avec un cake parfumé aux agrumes, etc.

Proscrivez les thés en sachet ou en mousselines : les feuilles sont souvent brisées et leur arôme est moins prononcé. Pour préparer le thé, il convient de respecter quelques règles simples. Portez à ébullition de l'eau froide dans une bouilloire ou une casserole. Dès que l'eau bout, versez-en un peu dans la théière et inclinez doucement celle-ci pour que l'eau en chauffe les parois. Videz la théière. Mettez le thé dans un filtre en comptant 1 cuillerée à café bombée par tasse plus 1 cuillerée pour le pot. Versez délicatement l'eau chaude sur les feuilles de thé en les laissant gonfler tranquillement, faites infuser entre 4 et 5 minutes puis retirez le filtre.

café, chocolat ou infusions

À l'heure du goûter, on peut aussi proposer du café ou du chocolat, voire quelques mélanges chauds très originaux. Pour les amateurs de café, choisissez du café fraîchement moulu, un arabica de préférence car il est souvent mieux supporté que le robusta. Achetez-le dans une bonne brûlerie et conservez-le ensuite dans une boîte en métal.

Servez un chocolat maison fait avec un excellent chocolat noir (p. 35). Vous pouvez le parfumer avec de la cannelle, de la liqueur de café, des gousses de cardamome, des zestes d'orange…

Enfin, si vous souhaitez surprendre vos amis, proposez des infusions maison.

- Hachez très finement 2 blancs de citronnelle et mettez-les dans une tisanière ou dans une théière. Couvrez d'eau bouillante et laissez infuser 5 minutes. Parfumez avec du gingembre râpé et du miel. Servez dans des grands verres et décorez d'un zeste de citron.

- Mettez 1 belle poignée de menthe fraîche, 1 bâton de cannelle et 1 cuillerée à café de sucre dans une théière. Couvrez d'eau bouillante et laissez infuser 5 minutes. Servez dans des grands verres et décorez de feuilles de menthe fraîche.

quelques mélanges frais

En été, optez pour les boissons fraîches : jus de fruits, milk-shake, lassis et autres cocktails savoureux.

- Les lassis sont des boissons glacées obtenues en mixant du yaourt et des fruits. Ajoutez un peu de glace pilée. Et utilisez de préférence les fruits de saison. Vous pouvez opter pour un parfum unique ou des mélanges de saveurs.

- Si vous voulez à tout prix surprendre, préparez des boissons fraîches en mettant des boules de sorbet au fond de grands verres et en les recouvrant d'eau plate ou gazeuse. Servez sans mélanger. Vous pouvez aussi servir des boissons glacées aux amandes ou à la rose (p. 90).

- Servez des sirops parfumés bien glacés. Il vous suffit de laisser macérer un mélange de fruits et d'épices de votre choix dans du sirop de sucre. Une heure avant de servir, complétez avec de l'eau et laissez la carafe au frais. Vous pouvez ainsi marier du citron et du piment, des étoiles d'anis et de la cannelle, des pêches blanches et des baies roses…

des cocktails ou des jus frais

greyhound

Dans un grand verre, versez 60 ml de vodka, 100 ml de jus de pamplemousse frais et une larme de cointreau ou de triple-sec. Remuez et ajoutez de la glace. Pour 1 verre. (Vous pouvez également servir ce cocktail dans une carafe en multipliant les proportions.)

sorbet vodka

Disposez dans 6 verres à vodka 1 boule de sorbet aux fruits et versez 1 cuillerée à soupe de vodka dans chacun. Pour 6 verres.

chiller rhubarbe,
fraise et rhum blanc

Mixez 6 cuillerées à soupe de compote de rhubarbe (p. 27),
6 fraises sans la queue, 60 ml de rhum, 1 cuillerée à café
d'extrait naturel de vanille et 8 glaçons. Versez dans deux
verres glacés et décorez éventuellement de moitiés de
fraises fraîches. Pour 2 verres.

milk-shake au citron

Mélangez dans le bol d'un robot ménager 125 g de yaourt
nature, 3 cuillerées à soupe de crème fraîche, 2 cuillerées
à soupe de sucre en poudre, 2 cuillerées à soupe de jus
de citron, 1/2 cuillerée à café d'extrait naturel de vanille et
6 glaçons. Mixez pour obtenir un mélange mousseux. Servez
dans des verres glacés et décorez de noisettes finement
broyées. Pour 2 verres.

des cocktails ou des jus frais

gin fizz

Dans un shaker rempli de glace, versez 60 ml de gin,
1 cuillerée à soupe de jus de citron, 1 cuillerée à café de
sucre et un peu de blanc d'œuf. Frappez vigoureusement
et versez dans un verre glacé. Complétez avec de l'eau
gazeuse. Pour 1 verre.

mint julep

Dans un verre, versez 2 cuillerées à café de sucre en
poudre, 10 feuilles de menthe et un peu d'eau. À l'aide
d'une cuillère en bois, pilez ces ingrédients jusqu'à ce que
le sucre soit fondu et la menthe écrasée. Remplissez le verre
de glace pilée puis versez 90 ml de whisky. Remuez bien et
laissez au freezer pendant 30 minutes. Servez avec un
décor de feuilles de menthe et une paille. Pour 1 verre.

Dans la torpeur estivale d'une fin d'après-midi,

citron pressé

Versez dans un shaker 60 ml d'absolut vodka citron, 60 ml
de sirop de sucre et 2 cuillerées à soupe de jus de citron.
Secouez bien et versez dans un grand verre garni de
glaçons. Décorez avec du zeste de citron râpé et une spirale
de peau de citron. Pour 1 verre.

thé glacé long island

Dans un shaker, versez 30 ml de vodka, 30 ml de gin,
30 ml de rhum blanc, 30 ml de tequila, 30 ml de triple-sec
et 30 ml de jus de citron. Ajoutez 8 glaçons et frappez bien.
Versez dans des verres hauts garnis de glaçons
et ajoutez un peu de cola pour colorer la boisson. Décorez
avec des rondelles de citron. Pour 2 verres.

laissez-vous tenter par un de ces cocktails...

gâteaux pour petits ou grands

sablés au citron

cakes aux châtaignes

moelleux aux amandes et aux pignons de pin

barquettes à la cannelle

gâteau à l'ananas

tarte à la noix de coco et au citron

tarte aux figues

madeleines au citron vert

gâteau moelleux aux nectarines et aux amandes

tartelettes au coing et à la rose

tartelettes épicées au sirop d'érable

cake à la framboise

madeleines à la sauge

tarte aux poires et à la cardamome

fondants au chocolat

cake au chocolat

tartelettes au chocolat amer

diplomates glacés aux loukoums

sablés au citron

185 g de farine
80 g de farine de riz
200 g de beurre doux ramolli
70 g de sucre en poudre
2 c. à café de zeste de citron finement haché
2 c. à soupe de sucre glace pour le décor

Préchauffez le four à 190 °C. Graissez un moule à gâteau rectangulaire puis tapissez-le de papier sulfurisé. Dans un saladier, tamisez les farines et ajoutez 1 pincée de sel. Dans un autre récipient, travaillez le beurre et le sucre jusqu'à ce que le mélange blanchisse, puis versez-le dans le saladier de farines et mélangez. Versez la pâte dans le moule et piquez à la fourchette. À l'aide d'un couteau pointu, délimitez des carrés de 3 cm de côté. Faites cuire 5 minutes au four avant de réduire le thermostat à 160 °C. Laissez cuire encore 15 à 20 minutes pour que le sablé soit doré. Parsemez de zeste de citron et prolongez la cuisson de 5 minutes. Retirez du four et saupoudrez de sucre glace quand le gâteau est encore tiède. Découpez en carrés et faites refroidir sur une grille. Pour 60 sablés.

cakes aux châtaignes

6 œufs
150 g de sucre en poudre
400 g de purée de marron
175 g d'amandes en poudre
1 c. à café de levure
1 portion de glaçage au citron (p. 190)

Préchauffez le four à 180 °C. Battez les œufs puis mélangez-les avec le sucre et la purée de marron. Continuez de battre pendant 1 minute. Incorporez enfin les amandes en poudre et la levure en mélangeant bien.

Répartissez la pâte dans 12 petits moules à muffins garnis de caissettes en papier et faites cuire les cakes 20 minutes au four. Quand ils sont dorés et cuits, faites-les refroidir avant de les décorer de glaçage au citron. Pour 12 mini-cakes.

moelleux aux amandes et aux pignons de pin

2 mandarines
250 g d'amandes
300 g de sucre en poudre
1/2 c. à café de cannelle moulue
8 blancs d'œufs
85 g de farine tamisée
4 c. à soupe de pignons de pin
3 c. à soupe de vin blanc moelleux
du sucre glace

Préchauffez le four à 180 °C. Beurrez un moule à charnière rond. Pelez une mandarine et prélevez le zeste pour l'émincer très finement. Mixez-en 3 cuillerées à soupe avec les amandes, le sucre et la cannelle. Versez 1 pincée de sel sur les blancs d'œufs avant de les monter en neige ferme. Incorporez alors le mélange aux amandes puis la farine. Versez la pâte dans le moule et parsemez le dessus de pignons de pin. Faites cuire 1 heure au four. Démoulez le gâteau sur une grille pour le faire refroidir.

Versez le vin sur le gâteau froid, laissez-le pénétrer dans la pâte puis décorez de sucre glace. Prélevez les quartiers des deux mandarines. Coupez des parts de gâteau et servez-les avec les quartiers de mandarine. Pour 10 personnes .

barquettes à la cannelle

90 g de farine à levure incorporée
1 c. à café de cannelle moulue
30 g de farine de riz
75 g de beurre doux ramolli
80 g de sucre
1 œuf battu
de la confiture de fruits rouges

Préchauffez le four à 180 °C. Tamisez dans un saladier les farines et la cannelle. Dans un autre saladier, battez le beurre et le sucre puis ajoutez l'œuf, sans cesser de fouetter. Incorporez ce mélange aux farines tamisées en remuant pour obtenir une pâte homogène. Formez des boules légèrement aplaties et disposez-les sur une plaque de four recouverte de papier sulfurisé. Faites un léger creux au centre de chaque barquette et remplissez-le de confiture. Faites dorer les biscuits 8 à 10 minutes au four. Pour 36 biscuits.

gâteau à l'ananas

tarte à la noix de coco et au citron

gâteau à l'ananas

350 g de sucre en poudre
180 g de noix de coco râpée légèrement grillée
250 ml de lait de coco
280 g d'ananas frais coupé en dés
4 œufs
250 g de farine
2 c. à café de levure
20 g de beurre doux ramolli
125 g de sucre glace tamisé
2 c. à soupe de jus de citron vert

Préchauffez le four à 180 °C. Beurrez un moule à charnière
rond. Mélangez le sucre, la noix de coco, le lait de coco,
l'ananas et les œufs dans un saladier. Tamisez la farine
et la levure et ajoutez-les dans le saladier puis amalgamez
soigneusement tous les ingrédients. Versez la pâte dans
le moule et faites cuire 1 heure au four.

Mettez le beurre et le sucre glace dans un récipient puis
travaillez le mélange pour qu'il soit parfaitement homogène.
Versez lentement le jus de citron vert : le mélange doit être
lisse et suffisamment liquide pour napper le gâteau. Vérifiez
la cuisson du gâteau en le piquant à l'aide d'un couteau.
Démoulez-le, laissez-le refroidir sur une grille puis nappez-le
de sauce au citron vert. Pour 8 personnes.

tarte aux figues

6 figues
1 fond de pâte brisée (p. 78)
3 œufs
170 g de sucre en poudre
3 c. à soupe de farine
185 g de beurre doux

Préchauffez le four à 180 °C. Coupez les figues en quartiers
et disposez-les sur la pâte à tarte précuite, les pointes vers
le haut. Battez les œufs et le sucre jusqu'à obtention d'un
mélange pâle et mousseux puis incorporez la farine. Faites
chauffer le beurre à feu vif dans une casserole. Lorsqu'il
commence à mousser, versez-le sur le mélange aux œufs
et battez le tout pendant 1 minute. Versez la préparation sur
les figues et faites cuire 25 minutes au four, jusqu'à ce que
la garniture soit ferme et dorée. Laissez refroidir la tarte avant
de servir. Pour 8 personnes.

tarte à la noix de coco et au citron

125 g de beurre doux
350 g de sucre en poudre
4 gros œufs
170 g de yaourt à la grecque
1 c. à café d'extrait naturel de vanille
3 c. à soupe de jus de citron
2 c. à soupe de zeste de citron
90 g de noix de coco râpée (fraîche ou séchée)
1 fond de pâte brisée (p. 78)
du sucre glace

Préchauffez le four à 180 °C. Fouettez le beurre et le sucre
pour obtenir un mélange mousseux puis incorporez les œufs
un à un sans cesser de battre. Ajoutez enfin le yaourt, l'extrait
de vanille, le jus et le zeste de citron puis la noix de coco.
Versez le mélange sur le fond de tarte préparé et faites cuire
30 minutes au four. Saupoudrez de sucre glace et servez
tiède, accompagné de crème fraîche ou de glace à la vanille.
Pour 8 personnes.

tarte aux figues

madeleines au citron vert

2 œufs
55 g de sucre en poudre
1/2 c. à café de zeste de citron vert finement râpé
65 g de farine
50 g de beurre doux fondu
1 c. à café de jus de citron vert
1/2 c. à café d'eau de fleur d'oranger
du sucre en poudre pour servir

Dans un saladier, fouettez les œufs, le sucre, le zeste de citron vert et 1 pincée de sel pour obtenir un mélange clair. Ajoutez la farine tamisée. Incorporez ensuite le beurre fondu, le jus de citron vert et l'eau de fleur d'oranger.

Préchauffez le four à 200 °C. Graissez des plaques à madeleines et placez 1 cuillerée à café de pâte dans chaque alvéole. Laissez cuire 5 minutes. Faites cuire les madeleines en plusieurs fournées si vous ne disposez pas d'assez de plaques. Démoulez les madeleines sur une grille et saupoudrez-les de sucre en poudre. Pour 36 madeleines.

gâteau moelleux aux nectarines et aux amandes

3 œufs
125 ml de lait
300 g de sucre en poudre
250 g de farine
2 c. à café de levure
1 c. à café d'extrait naturel de vanille
55 g d'amandes en poudre
2 c. à soupe de beurre ramolli

Préchauffez le four à 180 °C. Beurrez un moule à charnière rond. Battez dans un récipient les œufs, le lait, le sucre, la farine, la levure et l'extrait de vanille pour obtenir une pâte homogène. Détaillez les nectarines en huit quartiers et mélangez-les à la pâte en prenant soin de ne pas les casser.

Répartissez le mélange dans le moule puis décorez le dessus d'amandes en poudre et de parcelles de beurre. Faites cuire 40 minutes au four. Laissez refroidir le gâteau sur une grille en métal avant de servir. Pour 8 personnes.

tartelettes au coing et à la rose

90 g de pâte de coing
80 ml de jus d'orange
120 g de mascarpone
1/2 c. à café d'eau de rose
2 c. à café de sucre glace
1 c. à soupe d'amandes en poudre légèrement grillées
12 fonds de tartelettes précuits

Dans un saladier, au-dessus d'une casserole d'eau frémissante, faites fondre la pâte de coing au bain-marie avec le jus d'orange. Mélangez bien puis retirez du feu et laissez refroidir.

Mixez le mascarpone avec l'eau de rose, le sucre glace et les amandes en poudre. Versez 1 cuillerée de ce mélange dans chaque fond de tartelette et nappez de pâte de coing refroidie. Pour 12 tartelettes.

tartelettes épicées au sirop d'érable

45 g de noix de coco séchée râpée
125 ml de sirop d'érable
1/4 de c. à café de cardamome en poudre
1 c. à soupe de jus de citron vert
2 c. à café de zeste de citron vert finement râpé
1 jaune d'œuf battu
24 fonds de tartelettes précuits
du sucre glace pour décorer

Préchauffez le four à 180 °C. Dans un grand saladier, mélangez tous les ingrédients (sauf le sucre glace). Garnissez chaque fond de tartelette d'une cuillerée à café de crème à la noix de coco et faites cuire 10 minutes. Laissez refroidir. Au moment de servir, saupoudrez de sucre glace. Pour 24 tartelettes.

Pour un goûter sous les arbres, choisissez entre
à la sauge, si délicatement parfumées.

cake à la framboise

un cake aux fruits frais ou ces petites madeleines

madeleines à la sauge

cake à la framboise

300 g de framboises surgelées
250 g de farine
2 c. à café de levure
1 pincée de sel
125 g de beurre doux ramolli
225 g de sucre en poudre
3 œufs légèrement battus
250 g de crème aigre
1 c. à soupe de beurre fondu
125 g de sucre glace

Préchauffez le four à 180 °C. Beurrez un moule à charnière et tapissez-en le fond de papier sulfurisé. Écrasez grossièrement les framboises (sans les faire décongeler). Réservez 1 cuillerée à soupe de jus pour le glaçage.

Tamisez dans un saladier la farine, la levure et le sel. Fouettez le beurre et le sucre pour obtenir un mélange pâle et mousseux puis ajoutez les œufs sans cesser de battre. Ajoutez alternativement un peu de farine puis de crème aigre en battant bien entre chaque ajout et jusqu'à épuisement de ces ingrédients. Disposez en couches successives dans le moule un tiers de pâte, la moitié des framboises, un autre tiers de pâte, le reste des framboises et terminez par le reste de pâte. Faites cuire 50 minutes au four puis laissez refroidir sur une grille en métal.

Pour le glaçage, mélangez le beurre fondu et le jus de framboise réservé. Incorporez progressivement le sucre glace pour obtenir une pâte un peu épaisse. Nappez-en le gâteau. Pour 10 personnes.

madeleines à la sauge

150 g de beurre ramolli
2 c. à café de sucre
2 jaunes d'œufs
2 œufs entiers
45 g de farine de blé
45 g de farine de maïs
1/4 de c. à café de levure
24 petites feuilles de sauge

Préchauffez le four à 180 °C. Dans une casserole, faites brunir 30 g de beurre. Retirez du feu et réservez. Dans un saladier, fouettez le sucre et le reste du beurre jusqu'à ce que le mélange blanchisse. Ajoutez les jaunes d'œufs et les œufs entiers en battant régulièrement puis intégrez

délicatement les ingrédients secs, ainsi qu'une pincée de sel et un peu de poivre. Graissez une plaque à madeleines avec le beurre fondu, disposez 1 feuille de sauge au fond de chaque alvéole puis 1 cuillerée à café de pâte. Vous pouvez également utiliser des moules à muffins. Faites cuire 7 à 10 minutes au four, jusqu'à ce que les madeleines soient dorées et moelleuses. Démoulez et laissez refroidir sur une grille. Pour 24 madeleines.

tarte aux poires et à la cardamome

185 g d'amandes en poudre
110 g de beurre doux
125 g de sucre en poudre
3 œufs
1/2 c. à café de cardamome moulue
3 c. à café de cacao
1 fond de pâte brisée précuit (p. 78)
2 poires bien mûres

Préchauffez le four à 180 °C. Mettez les amandes en poudre, le beurre, le sucre (réservez-en 2 cuillerées à soupe), les œufs, la cardamome et le cacao dans un robot ménager; mélangez jusqu'à obtention d'une pâte épaisse. Étalez délicatement la pâte sur le fond de tarte. Coupez les poires en quartiers et ôtez les cœurs. Coupez les quartiers en tranches épaisses et disposez-les en éventail sur la préparation aux amandes. Faites cuire au four pendant 20 minutes. Sortez la tarte du four et saupoudrez-la avec le reste de sucre. Remettez-la au four 10 minutes. Laissez-la refroidir légèrement avant de la poser sur un plat de service. Pour 8 personnes.

tarte aux poires et à la cardamome

fondants au chocolat

155 g de farine
2 c. à soupe de cacao
1 c. à café de levure
3/4 de c. à café de sel
100 g de beurre
280 g de chocolat noir
110 g de sucre en poudre
2 œufs
2 c. à soupe de crème fraîche
du cacao en poudre pour le décor

Dans un saladier, tamisez la farine, le cacao, la levure et le sel. Dans un autre saladier, faites fondre 180 g de chocolat et le beurre au bain-marie, au-dessus d'une casserole d'eau frémissante. Retirez du feu et ajoutez le sucre en remuant bien. Ajoutez un à un les œufs sans cesser de battre puis incorporez le mélange à base de farine. Laissez raffermir la pâte 20 minutes au réfrigérateur.

Pour la crème au chocolat, faites fondre le reste du chocolat et la crème fraîche au bain-marie. Retirez du feu et laissez refroidir. Préchauffez le four à 180 °C. À l'aide d'une douille, posez des noisettes de pâte sur la plaque du four recouverte de papier cuisson et faites-les cuire 5 à 7 minutes. Laissez-les tiédir sur la plaque avant de les disposer sur une grille. Collez les biscuits deux à deux avec la crème au chocolat et saupoudrez de cacao. Pour 40 biscuits.

cake au chocolat

250 g de beurre
200 g de chocolat noir
375 ml de café fort
450 g de sucre en poudre
175 g de farine
1 c. à café de levure
3 c. à soupe de cacao en poudre
2 œufs
2 c. à café d'extrait naturel de vanille
1 portion de glaçage au chocolat (p. 190)

Préchauffez le four à 180 °C. Beurrez un moule à charnière et tapissez le fond de papier sulfurisé. Mélangez le beurre, le chocolat et le café dans un récipient et faites fondre le tout au bain-marie, au-dessus d'une casserole d'eau frémissante. Ajoutez le sucre et remuez. Versez le mélange dans un autre récipient et incorporez en plusieurs fois la farine, la levure et le cacao. Ajoutez enfin les œufs et l'extrait de vanille.

Versez la pâte dans le moule et faites cuire 1 heure au four. Laissez tiédir le gâteau puis démoulez-le sur une grille en métal pour le faire refroidir. Au moment de servir, nappez-le de glaçage au chocolat et présentez-le sur un grand plat rond. Pour 10 personnes.

tartelettes au chocolat amer

150 g de beurre doux
200 g de chocolat noir
3 jaunes d'œufs
2 œufs
3 c. à soupe de sucre en poudre
2 c. à soupe de Grand-Marnier
6 fonds de tartelette précuits (p. 78)
du cacao en poudre pour le décor

Préchauffez le four à 180 °C. Faites fondre le beurre et le chocolat au bain-marie, au-dessus d'une casserole d'eau frémissante. Dans un autre récipient, battez les œufs, les jaunes d'œufs et le sucre. Incorporez alors le chocolat fondu (il doit être juste tiède) et le Grand-Marnier. Continuez de battre pendant 1 minute. Versez ce mélange dans les fonds de tartelettes et faites cuire 5 minutes au four.

Quand la garniture au chocolat est ferme, sortez les tartelettes du four. Laissez-les refroidir 1 heure au moins. Au moment de servir, saupoudrez-les de cacao. Accompagnez de crème fouettée et de framboises fraîches. Pour 6 tartelettes.

diplomates glacés aux loukoums

250 g de framboises ou de fraises
6 loukoums
12 biscuits au chocolat
500 ml de glace à la vanille en boules
75 g d'amandes grillées

Mixez ou écrasez les fruits pour obtenir un coulis puis réservez. Découpez chaque loukoum en 8 petits cubes. Cassez les biscuits en petits morceaux. Dans des coupes hautes, disposez en couches successives la glace, les biscuits, les loukoums et les amandes. Arrosez de sauce aux fruits rouges. Servez immédiatement. Pour 6 personnes.

soirées cocktails

Dans certaines occasions, organiser un cocktail est un moyen simple de réunir beaucoup de monde. En vous organisant à l'avance, tout sera prêt au moment où vos invités arriveront et vous pourrez vous aussi profiter de la fête.

pour débuter

une fête réussie

les cocktails classiques

les amuse-bouches

fraîcheur marine

les blinis

crostini et bruschette

les punchs

les dips

raviolis, sushis et autres bouchées

une fête réussie

Pour un cocktail, on peut concevoir des mélanges très variés. Les boissons sont servies fraîches et peuvent donc être préparées à l'avance pour la plupart. Vous pourrez ainsi couper les fruits, presser les citrons, préparer les glaçons avant l'arrivée de vos amis. Disposez suffisamment de verres sur les tables pour que chacun puisse goûter à tous les cocktails. N'oubliez pas les serviettes en papier et surtout de quoi manger…

Soignez aussi le décor : des objets décoratifs mais pas trop fragiles sur les tables, un éclairage intime avec des guirlandes de lumignons, des petites lanternes, des bougies flottantes, des photophores… Et n'oubliez pas la musique !

les indispensables

Un cocktail réussi se doit de présenter un assortiment varié de boissons. Vous devez prévoir différents sodas variés, de l'eau pétillante, du sirop de sucre, des citrons et citron vert frais, des oranges, etc. Ainsi qu'une sélection d'alcools : gin, vodka, cointreau, whisky, martini blanc ou rouge, campari, vermouth, rhum blanc ou brun… Les jours qui précèdent, préparez des glaçons en grande quantité et stockez-les au congélateur.

Un shaker est indispensable. Cet ustensile ne sert pas seulement à mélanger mais il permet aussi de refroidir l'alcool. À défaut, utiliser un grand bocal à couvercle : remplissez-le de glace, ajoutez le cocktail, fermez et agitez vigoureusement.

Si vous ne disposez que d'un simple mixeur, essayez de vous faire prêter un robot ménager puissant pour concasser les glaçons ou préparer de la glace pilée. Pour la piler plus facilement, sortez-la quelques minutes à l'avance de votre congélateur.

Faites le tour de vos amis et connaissances pour vous faire prêter des carafes et des verres, ainsi que des cuillères à cocktail. Achetez des mélangeurs et différents accessoires décoratifs en plastique mais servez de préférence les cocktails dans des verres. C'est quand même plus chic que des gobelets en plastique…

Pour garder les bouteilles au frais, mettez de gros blocs de glace dans de grandes bassines (ou dans votre baignoire). Changez régulièrement la glace quand elle commence à fondre.

Vous aurez besoin de sirop de sucre pour la plupart de vos cocktails. Préparez-le à l'avance et en grande quantité. Vous pourrez le conserver au réfrigérateur. Pour un sirop épais, portez à ébullition 250 g de sucre dans 225 ml d'eau. Remuez sans cesse jusqu'à ce que le sucre soit dissous puis faites-le refroidir et gardez-le dans une bouteille jusqu'au moment de l'utiliser. En mélangeant par exemple 3 cuillerées à soupe de ce sirop avec de la glace et des fruits frais coupés en morceaux, vous obtiendrez une boisson sans alcool rafraîchissante et savoureuse.

utiliser les fruits

En premier lieu, ils vont entrer dans la composition des boissons soit sous forme de jus soit en petits morceaux pour les punchs et autres mélanges. Choisissez de préférence des fruits frais en tenant compte de la saison.

Les fruits vont aussi vous aider à préparer des mélanges sans alcool très savoureux et originaux. Mais n'hésitez pas à en tirer parti pour vos décors. Une cerise rouge dans un verre transparent sera du plus joli effet. Faites des spirales confites avec les zestes d'orange ou de citron, plantez sur le bord des verres des tranches de melon, de pomme ou de poire. Remplissez des bacs à glaçons de jus de fruits frais et mettez-en plusieurs dans un grand verre avant d'ajouter un peu d'eau pétillante. Faites mariner des cerises ou des morceaux de pêche plusieurs heures à l'avance dans un peu d'alcool, etc.

Et disposez, autant pour le décor que pour la dégustation, des brochettes de fruits frais plantées à la verticale sur une moitié de pastèque ou dans de grands verres. Vos convives viendront y picorer à leur guise.

les cocktails classiques

martini dry

Versez 1 cuillerée à café de martini blanc dans un verre glacé. Remplissez le shaker de glace et ajoutez 60 ml de gin. En faisant tourner le verre et en l'inclinant délicatement en tous sens, nappez les parois de martini ; jetez l'excédent. Versez le gin glacé dans le verre et décorez avec 1 olive ou 1 zeste de citron. Servez aussitôt. Pour 1 verre.

bellini

Écrasez dans un récipient 1/2 pêche blanche bien mûre avec 1 cuillerée à café de sucre en poudre. Dans deux flûtes, versez un peu de champagne puis un peu de purée de pêche. Remuez légèrement avant de verser à nouveau du champagne. Pour 2 verres.

Comme James Bond, commencez la soirée

manhattan

Remplissez de glace un verre doseur, ajoutez 60 ml de whisky, 30 ml de martini rouge et 1 goutte d'angostura. Versez dans un verre à cocktail glacé et décorez avec 1 zeste de citron. Servez. Pour 1 verre.

champagne cocktail

Mouillez 1 morceau de sucre avec 3 gouttes d'angostura et mettez-le au fond d'une coupe à champagne. Versez 3 cuillerées à café de cognac puis complétez avec le champagne. Pour 1 verre.

avec un martini dry ou un autre cocktail classique.

les cocktails classiques

margarita

Remplissez un shaker de glace et ajoutez 60 ml de tequila, 30 ml de triple-sec et 1 cuillerée à soupe de jus de citron vert. Frappez vigoureusement. Mouillez de jus de citron le bord d'un verre et trempez-le dans du sel. Versez le cocktail et servez. Pour 1 verre.

cosmopolitan

Remplissez un shaker de glace et ajoutez 60 ml de vodka, 30 ml de cointreau, 1 cuillerée à café de jus de citron vert et 30 ml de jus d'airelles. Frappez. Versez le mélange dans un verre glacé et servez. Pour 1 verre.

daiquiri classique

Remplissez de glace un shaker puis ajoutez 60 ml de rhum,
1 cuillerée à soupe de jus de citron vert, 1 cuillerée à café
de triple-sec ou de cointreau et 1 cuillerée à café de sucre
en poudre. Frappez. Versez dans un verre glacé et servez.
Pour 1 verre.

fruit daiquiri

Mixez 30 ml de jus de citron vert, 2 cuillerées à soupe
de sucre en poudre, 2 cuillerées à café de triple-sec ou
de cointreau, 120 ml de rhum blanc, 1/2 mangue bien mûre
et 1/4 de melon, le tout détaillé en petits dés, 6 glaçons.
Versez le mélange dans deux verres glacés. Pour 2 verres.

les cocktails classiques

negroni

Remplissez un verre de glaçons et ajoutez 30 ml de campari,
30 ml de martini blanc et 30 ml de gin. Remuez légèrement
sans mélanger complètement et décorez de zestes d'orange.
Pour 1 verre.

ripe cherry

Dans un shaker, frappez bien 60 ml de liqueur de framboise,
30 ml de malibu et 30 ml de liqueur de cacao. Versez sur de
la glace pilée et servez aussitôt. Pour 2 verres.

Accueillez vos convives avec la douceur sucrée d'un

mai tai

Remplissez un shaker de glace. Ajoutez ensuite
1 cuillerée à soupe de jus de citron vert, 2 cuillerées
à soupe de Grand-Marnier, 1 goutte d'angostura, 60 ml de
rhum brun, 1 cuillerée à café de sirop de grenadine, 80 ml
de jus d'ananas frais et 2 gouttes d'extrait naturel d'amande.
Frappez. Répartissez quelques glaçons dans un verre,
versez le cocktail et décorez de dés d'ananas et d'une
feuille de menthe. Pour 1 verre.

campari classique

Versez 120 ml de jus d'orange frais et 60 ml de campari
dans un grand verre. Complétez avec des glaçons. Décorez
d'une tranche d'orange. Pour 1 verre.

ripe cherry ou les saveurs exotiques d'un mai tai…

amuse-bouches classiques

mélange cocktail

Préchauffez le four à 160 °C. Réduisez en poudre 1 cuillerée à café de graines de cumin, 1 cuillerée à café de graines de coriandre, 1 cuillerée à café de graines de moutarde, 1/4 de cuillerée à café de graines de fenouil, 1/2 bâton de cannelle, 1/2 cuillerée à café de grains de poivre noir et 1 cuillerée à café de curcuma en poudre. Versez le mélange dans un saladier et ajoutez 2 cuillerées à soupe de sucre brun, 350 g de noix mélangées (pécan, cajou, cacahuètes, macadamia) et 2 cuillerées à café de sel. Versez 2 cuillerées à soupe d'huile d'olive, remuez et étalez le tout sur une plaque de cuisson. Faites cuire 10 à 15 minutes au four, jusqu'à ce que les noix soient dorées. Laissez refroidir. Conservez dans un récipient hermétique jusqu'au moment de servir. Pour 350 g.

œufs de caille au thym

Mélangez dans un récipient 2 cuillerées à soupe de graines de sésame légèrement grillées, 1 cuillerée à soupe de feuilles de thym, 1 cuillerée à soupe de sumac en poudre, 1/2 cuillerée à café de cumin en poudre grillé et 1 cuillerée à café de sel. Servez avec des œufs de caille durs (cuisson 3 minutes) écalés. Pour 24 œufs.

olives marinées

Mettez dans un bol 500 g d'olives mélangées, 4 zestes d'orange taillés en fines lanières, 2 gousses d'ail pilées, 1 piment rouge finement haché et un peu de thym frais. Versez 3 cuillerées à soupe d'huile d'olive et un filet de jus de citron. Mélangez. Couvrez et laissez mariner une nuit entière au frais. Pour 500 g.

biscuits au parmesan

Mélangez dans le bol d'un robot 125 g de beurre très froid coupé en dés, 100 g de cheddar râpé, 50 g de parmesan râpé, 150 g de farine, 1 cuillerée à café de paprika et 1 pincée de sel. Mixez pour obtenir une pâte homogène. Ramassez-la en boule et pétrissez-la légèrement avant d'en former 2 boudins de 3 cm de diamètre environ. Enveloppez chaque boudin dans du papier sulfurisé et faites-les raffermir 1 heure au frais. Préchauffez le four à 180 °C. Après avoir enlevé le papier sulfurisé, découpez la pâte en tranches de 0,5 cm d'épaisseur. Disposez ces dernières sur une plaque de cuisson recouverte de papier sulfurisé et faites-les cuire 10 à 12 minutes. Laissez refroidir les biscuits sur une grille. Conservez-les dans une boîte hermétique. Pour 60 biscuits.

fraîcheur marine

Au cours d'un cocktail, faites circuler sur un plateau des produits de la mer : noix de Saint-jacques juste marinées, huîtres fraîchement garnies, brochettes de crevettes ou de poisson. Le tout présenté avec beaucoup de goût. Vous pourrez aussi servir des blinis chauds avec du saumon fumé ou du caviar. Prévoyez beaucoup de glace pour garder aux fruits de mer toute leur fraîcheur et faites-vous aider pour faire cuire les blinis.

un service stylé

Le service devra être parfait et les boissons à la hauteur des mets proposés.

- Le summum sera d'associer caviar et champagne. Réservez cette option pour une soirée très chic et en petit comité si vous ne voulez pas vous ruiner… Si vous décidez de faire les choses en grand, ne choisissez que des produits excellents.
- Servez de petits médaillons grillés de queue de langouste ou de homard sur des toasts de pain brioché. Garnissez d'un peu de beurre aux herbes ou au citron.
- Présentez dans leur coquille quelques noix de Saint-Jacques escalopées et à peine dorées ou marinées dans du jus de citron. Nappez d'un beurre d'ail chaud.
- Pour le saumon fumé, présentez-le en canapés sur des toasts de pain grillé ou en chiffonnade sur de petites coupelles garnies de crème fraîche. Vous pouvez aussi préparer de délicats sandwichs coupés en petits carrés ou en triangles et garnis avec du concombre en tranches très fines et une mayonnaise à l'aneth.
- Proposez les crevettes en brochettes mais pensez à les décortiquer pour en faciliter la dégustation. Servez-les très vite car elles se mangent chaudes.
- Mélangez des crevettes cuites hachées finement ou de la chair de crabe avec de la mayonnaise et nappez-en des toasts de pain brioché. Décorez d'aneth frais.
- Présentez des crevettes décortiquées avec un assortiment de sauces : mayonnaise au citron, sauce au piment, purée d'avocat et Tabasco.

les huîtres

Servies dans leur coquille, on peut les associer à différents ingrédients. Vous les présenterez sur un lit de glace et les servirez très vite après les avoir ouvertes.

Détachez bien les huîtres de leur coquille : avec un verre à la main, vos convives auront du mal à s'en charger eux-mêmes s'ils ne peuvent s'asseoir à une table…

- Mélangez un peu de crème aigre et de wasabi, déposez un peu de ce mélange sur les huîtres, salez et poivrez. Servez aussitôt.
- Préparez une sauce avec du jus de citron vert et du vin de riz doux. Nappez-en les huîtres.
- Garnissez les huîtres avec des œufs de saumon ou de lump et servez avec des quartiers de citron vert.
- Pour une version thaïe, mélangez 1 cuillerée à soupe de sucre de palme râpé ou de sucre roux, 1 cuillerée à soupe de nuoc-mâm et 2 cuillerées à soupe de jus de citron vert. Remuez pour faire dissoudre le sucre puis ajoutez 1 petit piment émincé et un peu de coriandre fraîche ciselée. Versez sur les huîtres et servez aussitôt.
- Les huîtres sont également délicieuses chaudes. Il faut simplement éviter de les faire vraiment cuire. Retirez les huîtres de leur coquille, videz toute l'eau et remettez-les dans la coquille. Faites fondre un blanc de poireau haché très finement, ajoutez un peu de chapelure et de crème fraîche, salez et poivrez. Posez une petite quantité de ce mélange sur les huîtres, passez 4 minutes sous le gril du four et servez aussitôt.

les blinis

175 mL   125 mL

1 Mélangez dans un récipient 100 g de farine de blé, 70 g de farine de sarrasin et 3/4 de cuillerée à soupe de levure. Mélangez puis formez un puits au centre. Versez-y 200 ml de lait tiède et remuez la pâte avec une spatule, pour obtenir un mélange homogène. Couvrez et laissez reposer une nuit entière au frais.

2 Une heure avant de servir, sortez la pâte du réfrigérateur. Cassez 2 œufs et séparez les blancs des jaunes. Incorporez les jaunes avec 2 cuillerées à soupe de crème aigre. Montez les blancs en neige ferme dans un autre récipient avant de les ajouter à la pâte. Couvrez et laissez reposer 30 minutes à température ambiante.

3 Faites chauffer une grande poêle antiadhésive et beurrez-la légèrement. Versez quelques cuillerées de pâte dans la poêle sans les faire se toucher et laissez-les dorer sur une face avant de les retourner. Faites-les cuire 1 minute sur l'autre face et sortez-les de la poêle. Pour 40 blinis.

conseils et astuces

- Les blinis sont servis traditionnellement avec de la crème (fraîche ou aigre) et du saumon fumé ou du caviar. Vous pouvez parfumer la crème avec un peu de jus de citron, 1 zeste de citron râpé, du poivre grossièrement moulu ou des herbes fraîches (ciboulette, aneth).

- Vous pouvez préparer les blinis à l'avance (mais de préférence le jour même) et les réchauffer à feu doux dans une poêle. Vous pouvez également les étaler en une seule couche sur une plaque de cuisson, les couvrir d'une feuille d'alu et les passer au four préchauffé à 180 °C jusqu'à ce qu'ils soient à la bonne température.

crostini et bruschette

mozzarella et artichauts

Préchauffez le four à 150 °C. Égouttez 175 g d'artichauts marinés à l'huile et mixez-les avec 1 petite poignée de persil plat. Salez et poivrez. Coupez 12 tranches de baguette en biais et badigeonnez-les d'huile d'olive sur une face. Faites-les dorer quelques minutes au four (retournez-les une fois) puis garnissez-les de pâte aux artichauts. Déposez sur chaque toast 1 fine tranche de mozzarella, décorez d'une feuille de persil et versez un filet d'huile d'olive. Servez sans attendre. Pour 12 pièces.

olives et pignons de pin

Préchauffez le four à 150 °C. Mélangez 3 cuillerées à soupe de vinaigre balsamique, 6 filets d'anchois marinés, 2 gousses d'ail coupées en quatre, 115 g de pignons de pin légèrement grillés, 2 cuillerées à café de câpres rincées et égouttées, le jaune de 4 œufs durs et 12 belles olives vertes dénoyautées. Mixez le tout pour obtenir une pâte épaisse. Ajoutez 1 petite poignée de persil plat ciselé. Coupez 12 tranches de baguette en biais et badigeonnez-les d'huile d'olive sur une face. Faites-les dorer quelques minutes au four (retournez-les une fois) puis tartinez-les de pâte aux olives. Parsemez le dessus de fromage de chèvre frais émietté. Servez sans attendre. Pour 12 pièces.

champignons et pancetta

Émincez 200 g de champignons de Paris et 200 g de pleurotes. Détaillez en fines lanières 6 tranches de pancetta. Faites fondre à feu doux 25 g de beurre dans une poêle pour y faire revenir la pancetta 1 minute. Incorporez ensuite les champignons, couvrez et laissez cuire 5 minutes à feu doux. Salez et poivrez. Retirez la poêle du feu. Coupez 8 tranches de pain de campagne et faites-les griller des deux côtés. Frottez d'ail le dessus de chaque tranche puis garnissez de mélange aux champignons. Décorez de copeaux de parmesan. Pour 8 pièces.

tomate et basilic

Coupez 8 tomates olivettes en deux, épépinez-les puis détaillez la chair en petits dés. Mettez ces derniers dans un bol, salez et poivrez. Coupez 8 tranches de pain de campagne et faites-les griller des deux côtés. Frottez d'ail le dessus de chaque tranche puis garnissez de dés de tomate. Décorez de basilic ciselé et nappez d'un filet d'huile d'olive. Pour 8 pièces.

Pour un cocktail estival, préparez fruits frais, d'épices et d'arômes...

les punchs

1 Commencez par préparer du sirop de gingembre. Mélangez 3 cuillerées à soupe de gingembre frais râpé, 115 g de sucre et 3 cuillerées à soupe d'eau dans une petite casserole. Portez à ébullition puis laissez frémir 5 minutes en remuant bien pour faire dissoudre le sucre. Versez alors le sirop dans une bouteille. Laissez-le tiédir à température ambiante avant de le mettre au réfrigérateur.

2 Mélangez dans un saladier en verre 200 g d'ananas frais détaillé en petits dés et 3 pêches blanches pelées, dénoyautées et coupées en morceaux. Ajoutez 3 cuillerées à soupe de jus de citron vert, 4 cuillerées à soupe de sirop de gingembre et 250 ml de rhum brun. Mélangez bien.

3 Juste avant de servir, versez sur le punch 1 litre de bière au gingembre ou de vin au gingembre (épiceries asiatiques) et 500 ml de nectar de pêche glacé. Ajoutez quelques glaçons et décorez de fines tranches de citron vert et de feuilles de menthe. Pour 8 personnes.

conseils et astuces

- Pour une version sans alcool, supprimez le rhum et n'utilisez que du nectar de pêche.

- Pour ceux qui préfèrent un punch plus puissant, mettez de la glace pilée jusqu'à mi-hauteur dans un saladier, versez 1 bouteille de sauternes ou de vin moelleux, 125 ml de brandy, 125 ml de Coîntreau et 125 ml de Grand-Marnier. Ajoutez des tranches d'orange et de citron vert. Complétez avec un peu d'eau minérale. Pour 6 personnes.

- Le vin épicé peut constituer une variante originale. Versez dans une casserole 500 ml de vermouth, ajoutez le zeste de 2 oranges, 5 graines de cardamome pilées, 2 bâtons de cannelle, 6 clous de girofle, 1 cuillerée à soupe de gingembre frais râpé et 225 g de sucre en poudre. Portez à ébullition puis laissez frémir 5 minutes. Laissez refroidir à température ambiante. Passez le vermouth cuit dans un tamis fin puis ajoutez 2 bouteilles de vin rouge et 100 ml de rhum brun. Décorez de lamelles d'orange et d'amandes effilées légèrement grillées. Servez chaud ou froid. Pour 10 personnes.

les cocktails classiques

champagne aux litchis

Mixez 400 g de litchis au sirop et le jus d'1 citron vert.
Quand le mélange est homogène, passez-le dans un tamis
fin et récupérez le liquide dans une carafe. Couvrez et mettez
1 heure au frais. Répartissez ce sirop dans 8 flûtes et
complétez avec du champagne. Pour 8 verres.

pina colada

Mélangez dans le bol d'un robot 1/2 ananas frais en
morceaux, 10 glaçons, 2 cuillerées à soupe de jus de citron,
60 ml de sirop de sucre, 60 ml de rhum blanc, 60 ml de
crème de coco. Mixez pour obtenir un mélange onctueux.
Versez dans des verres à cocktail et décorez de fines
tranches d'ananas et de rondelles de citron vert.
Pour 2 verres.

Mettez les verres au freezer ou remplissez-les

tropical au rhum

Mélangez dans le bol d'un robot 30 ml de rhum blanc,
30 ml de malibu, 30 ml de midori, 200 ml de jus de
pamplemousse et 1/2 melon bien mûr coupé en morceaux.
Mixez. Versez le mélange dans de grands verres garnis de
glaçons et décorez de tranches de melon. Pour 2 verres.

litchis au rhum

Mixez 10 litchis en boîte avec 80 ml de lait de coco glacé,
60 ml de rhum brun, 60 ml de sirop de litchi glacé et
10 feuilles de menthe. Versez le mélange dans deux verres
très froids et servez sans attendre. Pour 2 verres.

de glaçons pour servir des cocktails très frais.

les cocktails classiques

pimm's au sirop de gingembre

Versez dans un grand verre avec des glaçons 120 ml de jus
d'ananas frais, 2 cuillerées à soupe de sirop de gingembre
(p. 244), 60 ml de pimm's et 60 ml d'eau gazeuse. Mélangez
à peine. Décorez de morceaux d'ananas frais et de fines
rondelles de citron vert. Pour 1 verre.

pastèque, menthe et vodka

Mettez 2 brins de menthe et 5 glaçons dans un grand verre.
Versez dessus 125 ml de jus de pastèque, 1/2 cuillerée
à café de jus de citron vert et 30 ml de vodka. Mélangez.
Pour 1 verre.

mojito

Mettez dans un verre 4 brins de menthe, 2 cuillerées à soupe de sucre en poudre et 1/2 citron vert coupé en petits quartiers. Écrasez le tout avec le dos d'une cuillère. Ajoutez 60 ml de rhum blanc et 4 glaçons grossièrement pilés. Complétez avec de l'eau gazeuse. Pour 1 verre.

rhum à la pêche

Remplissez un verre de glaçons et recouvrez de 60 ml de sirop de pêche et de 60 ml de rhum brun. Mélangez bien. Décorez d'un quartier de citron vert. Pour 1 verre. (Ce cocktail peut aussi se préparer avec le sirop de fruits pochés de la page 346.)

les dips

aubergine

Préchauffez le four à 200 °C. Badigeonnez d'huile le fond d'un plat à rôtir. Coupez en deux dans la hauteur 1 tête d'ail et mettez-la dans le plat. Ajoutez 1 belle aubergine et faites cuire 20 minutes au four. Laissez tiédir puis prélevez la pulpe de l'ail et mettez-la dans le bol d'un robot. Coupez en deux l'aubergine pour en retirer la chair et mélangez-la avec l'ail. Mixez. Transférez la purée dans un bol avant d'y ajouter 4 cuillerées à soupe de tahini et 2 cuillerées à soupe de jus de citron. Salez et poivrez. Juste avant de servir, décorez le dessus avec 1 pincée de piment de Cayenne et quelques feuilles de persil plat. Servez avec du pain. Pour 8 personnes.

betterave

Préchauffez le four à 200 °C. Mettez 4 betteraves moyennes et 250 ml d'eau dans un plat à rôtir. Couvrez d'une feuille de papier d'alu et faites cuire 1 heure au four. Laissez tiédir puis retirez la peau des betteraves en protégeant vos mains avec des gants. Mixez les betteraves en purée fine et mélangez-les avec 250 g de yaourt nature et 1 cuillerée à soupe de mélasse. Salez et poivrez. Décorez de menthe ciselée et de noix écrasées. Servez avec du pain. Pour 8 personnes.

tarama

Faites tremper 4 tranches de pain de mie dans un peu
d'eau puis égouttez-les et pressez-les dans vos mains pour
enlever le maximum de liquide. Mettez-les dans le bol d'un
robot avec 100 g d'œufs de mulet ou de cabillaud (vendus
en poissonnerie), 1 gousse d'ail pilée, 1/2 oignon vert haché
et 3 cuillerées à soupe de jus de citron. Mixez en versant
en filet fin 250 ml d'huile végétale. Vous devez obtenir une
sauce épaisse. Servez avec des toasts grillés ou du pain
pitta. Pour 8 personnes.

guacamole

Mélangez dans un bol 1 piment rouge frais émincé, le jus
de 2 citrons verts, 3 cuillerées à soupe d'huile d'olive,
2 oignons verts émincés, 3 cuillerées à soupe de coriandre
fraîche ciselée et 1 concombre du Liban coupé en très petits
dés. Coupez en deux une tomate bien mûre, ôtez les pépins
et détaillez la chair en petits cubes. Mettez ces derniers
dans le bol. Coupez en deux 2 avocats bien mûrs, retirez
les noyaux, coupez la chair en quartiers pour ôter la peau
puis détaillez-la en petits cubes. Servez avec des chips
de maïs épicées. Pour 6 personnes.

les raviolis de crevette vapeur

1 Fouettez légèrement 2 blancs d'œufs dans un récipient. Ajoutez 300 g de crevettes crues décortiquées et grossièrement hachées, 1/2 cuillerée à café de sel, 1/4 de cuillerée à café de cinq-épices, 30 g d'oignons verts hachés très finement et 1 cuillerée à café de gingembre frais râpé.

2 Disposez 1 carré de pâte à wontons (pâte à raviolis chinois) sur le plan de travail et badigeonnez les bords avec un peu d'eau. Disposez au centre 1 pleine cuillerée à café de farce à la crevette et remontez les angles du carré en pinçant les bords pour enfermer la garniture. Répétez l'opération avec le reste des ingrédients.

3 Mettez les raviolis dans un panier en bambou tapissé de papier sulfurisé légèrement huilé et faites-les cuire à la vapeur 10 minutes environ, au-dessus d'une casserole d'eau frémissante. Servez avec une sauce de votre choix. Pour 24 raviolis.

conseils et astuces

● Ces raviolis peuvent aussi se faire frire. Servez-les avec une sauce sucrée ou très pimentée, avec de la sauce de soja brune ou encore avec un mélange de jus de citron vert, de sauce aux prunes et de piments émincés.

● Vous trouverez dans les magasins asiatiques un assortiment très varié de sauces chinoises. Si vous aimez la cuisine exotique, achetez-en une grande diversité pour faire les mélanges de votre choix. Vous pouvez les relever avec du citron vert ou des petits piments rouges très forts (retirez les pépins pour en atténuer la chaleur).

● Pour faire une sauce au citron, mélangez dans une casserole le jus de 2 citrons, 2 étoiles d'anis, 3 gousses de cardamome, 3 cuillerées à soupe de sucre et 2 cuillerées à café de sauce de soja claire. Faites chauffer 5 minutes à feu moyen puis laissez refroidir. Servez dans des coupelles.

les raviolis chinois

épinards et haricots noirs

Faites blanchir 1 kg d'épinards dans de l'eau bouillante salée puis égouttez-les bien et laissez-les refroidir. Hachez-les finement (jetez les tiges) et mélangez-les avec le zeste râpé d'1 orange et 3 cuillerées à soupe de haricots noirs fermentés. Mettez dans un petit bol 1 cuillerée à soupe de sucre de palme râpé, 1 cuillerée de vin de riz chinois et mettez 1/2 cuillerée à soupe d'huile de sésame. Mélangez bien pour faire dissoudre le sucre puis versez la sauce sur les épinards. Badigeonnez d'eau les bords d'un carré de pâte à wontons, disposez au centre 1 pleine cuillerée à café de garniture et fermez le ravioli en pinçant les côtés. Répétez l'opération jusqu'à épuisement des ingrédients. Faites cuire 12 minutes à la vapeur (p. 252). Servez avec une sauce au piment. Pour 24 raviolis.

poulet et champignons

Faites tremper 30 minutes 4 champignons shiitake séchés dans un peu d'eau chaude puis égouttez-les bien. Jetez les pieds, émincez les chapeaux. Mélangez-les avec 250 g de blanc de poulet haché très finement, 4 cuillerées à soupe de pousses de bambou égouttées et émincées, 2 cuillerées à soupe de sauce de soja claire, 1 cuillerée à café de gingembre frais râpé et 1/2 cuillerée à café d'huile de sésame. Badigeonnez d'eau les bords d'un carré de pâte à wontons, disposez au centre 1 pleine cuillerée à café de garniture et fermez le ravioli. Répétez l'opération jusqu'à épuisement des ingrédients. Faites cuire 15 minutes à la vapeur. Servez avec de la sauce aux prunes. Pour 24 raviolis.

porc

Mélangez 300 g de porc finement haché, 1 pincée de sel,
1 cuillerée à café de sauce de soja claire, 1 cuillerée à soupe
de vin de riz chinois, 3 oignons verts émincés, 1 pincée
de cinq-épices et 1 cuillerée à café de gingembre frais râpé.
Badigeonnez d'eau les bords d'un carré de pâte à wontons,
disposez au centre 1 pleine cuillerée à café de garniture et
fermez le ravioli pour former un triangle. Rabattez les pointes
l'une vers l'autre. Répétez l'opération jusqu'à épuisement
des ingrédients. Faites frire les raviolis dans de l'huile
végétale chaude puis égouttez-les. Servez avec la sauce
de votre choix. Pour 24 raviolis.

noix de Saint-Jacques

Mélangez 300 g de noix de Saint-Jacques hachées très
finement, 1/2 cuillerée à café de zeste d'orange râpé,
3 cuillerées à soupe de coriandre ciselée, 3 cuillerées
à soupe d'oignon vert émincé, 1/4 de cuillerée à café d'huile
de sésame, 1 piment rouge épépiné et finement haché,
1 cuillerée à soupe de nuoc-mâm, 1 feuille de citronnier kaffir
ciselée finement et 1/4 de cuillerée à café de gingembre frais
râpé. Mélangez avant d'ajouter 2 cuillerées à soupe de
farine. Badigeonnez d'eau les bords d'un carré de pâte
à wontons, disposez au centre 1 pleine cuillerée à café de
garniture et fermez le ravioli en pinçant les côtés. Répétez
l'opération jusqu'à épuisement des ingrédients. Faites frire
les raviolis dans de l'huile végétale très chaude puis
égouttez-les. Servez avec des quartiers de citron vert.
Pour 30 raviolis.

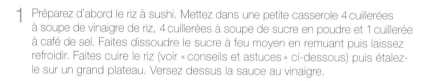

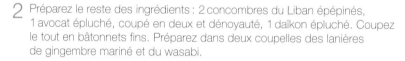

les sushi

1 Préparez d'abord le riz à sushi. Mettez dans une petite casserole 4 cuillerées à soupe de vinaigre de riz, 4 cuillerées à soupe de sucre en poudre et 1 cuillerée à café de sel. Faites dissoudre le sucre à feu moyen en remuant puis laissez refroidir. Faites cuire le riz (voir « conseils et astuces » ci-dessous) puis étalez-le sur un grand plateau. Versez dessus la sauce au vinaigre.

2 Préparez le reste des ingrédients : 2 concombres du Liban épépinés, 1 avocat épluché, coupé en deux et dénoyauté, 1 daïkon épluché. Coupez le tout en bâtonnets fins. Préparez dans deux coupelles des lanières de gingembre mariné et du wasabi.

3 Vous aurez besoin de 4 feuilles de nori. Étalez la première sur une natte à sushi, garnissez-en les trois quarts d'une fine couche de riz en le pressant bien avec vos doigts légèrement humides et répartissez les ingrédients sur le riz.

4 En vous aidant de la natte, roulez la feuille de nori en partant du côté vide et en pressant bien pour enfermer la garniture. Répétez l'opération avec les feuilles de riz et les ingrédients qui restent. Coupez les rouleaux en petits tronçons. Pour 24 sushi.

conseils et astuces

● Les maki sushi se présentent sous la forme de rouleaux enfermés dans une feuille de nori tandis que les nigiri sushi sont constitués de petits tas de riz recouverts d'un morceau de poisson cru. Ce dernier doit être très frais.

● Pour le riz à sushi, rincez abondamment dans plusieurs eaux 325 g de riz blanc à grains courts. Quand l'eau est parfaitement claire, mettez le riz dans une casserole, ajoutez 500 ml d'eau et faites cuire à feu moyen jusqu'au point d'ébullition. Remuez et couvrez. Faites bouillir 1 minute puis baissez le feu et laissez frémir 20 minutes. Retirez la casserole du feu et laissez gonfler le riz 5 minutes sans enlever le couvercle.

petites bouchées variées

galettes thaïes

Mixez grossièrement 250 g de filet de poisson sans peau ni arêtes avec 2 cuillerées à soupe de nuoc-mâm, 1 cuillerée à soupe de pâte de curry rouge, 1 œuf, 1 cuillerée à café de sucre de palme râpé et 3 feuilles de citronnier kaffir ciselées. Ajoutez 1 piment rouge épépiné et émincé et 70 g de haricots verts coupés en tranches fines. Formez des petites galettes puis aplatissez-les légèrement. Faites chauffer de l'huile dans une poêle en quantité suffisante pour en napper le fond et faites-y dorer les galettes sur les deux faces. Égouttez-les sur du papier absorbant. Servez avec une sauce au piment. Pour 20 bouchées.

bouchées de blanchaille

Mixez 125 g de farine, 1/2 cuillerée à café de piment de Cayenne, 1 cuillerée à café de zeste de citron râpé, 1 œuf, 1 cuillerée à soupe de beurre fondu, 1 pincée de sel et 3 cuillerées à soupe de lait. Quand le mélange est homogène, mettez-le dans un récipient et ajoutez-y 250 g de blanchailles (petites fritures d'eau douce) nettoyées et hachées grossièrement ainsi que 2 cuillerées à soupe de persil plat ciselé. Faites chauffer de l'huile dans une sauteuse et faites-y frire des cuillerées de farce sans les faire se toucher. Quand elles sont cuites et dorées, égouttez-les sur du papier absorbant. Servez sans attendre avec des quartiers de citron vert. Pour 20 bouchées.

galettes de poisson

Mettez 250 ml d'eau et 2 feuilles de citronnier kaffir dans une casserole. Portez à ébullition puis plongez-y un beau filet de saumon (500 g environ) sans peau ni arête. Baissez le feu, couvrez et laissez pocher 5 minutes. Retirez le saumon et émiettez-le à la fourchette. Mettez-le dans un récipient avec 150 g de chapelure, 2 œufs battus, 2 feuilles de kaffir hachées très finement, 1 oignon vert émincé, 2 cuillerées à soupe de blanc de citronnelle haché, de la coriandre ciselée, 2 piments rouges émincés, 1 cuillerée à soupe de jus de citron vert, 1 cuillerée à café de nuoc-mâm, du sel et du poivre. Mélangez puis formez des petites galettes. Faites-les frire dans de l'huile chaude. Égouttez-les et servez-les aussitôt avec des quartiers de citron vert. Pour 24 bouchées.

galettes aux grains de maïs

Retirez les grains de 2 beaux épis de maïs frais. Mélangez vivement dans un récipient 90 g de farine, 1 cuillerée à café de levure, 1 œuf légèrement battu, 1 cuillerée à soupe de beurre fondu et 1 pincée de sel. Ajoutez 3 cuillerées à soupe de lait et 1 cuillerée à café de Tabasco puis les grains de maïs. Mélangez à nouveau. Faites chauffer de l'huile dans une grande sauteuse et faites-y frire des petites galettes de pâte sans les faire se toucher, jusqu'à ce qu'elles soient dorées des deux côtés. Égouttez-les sur du papier absorbant. Servez chaud avec une sauce au piment. Pour 24 bouchées.

idées pour un buffet

noix de Saint-Jacques à la citronnelle
pancakes coco et poulet
biscuits épicés
tartelettes aux artichauts
pain noir toasté et saumon gravlax
tartelettes aux haricots blancs
beignets de crevettes à la noix de coco
crevettes à la citronnelle
crabe au citron, persil et piment
quesadillas au potiron
rouleaux de poisson aux noix de cajou
saumon en croûte
dés de tofu poivre et sel
bouchées de jambon cru et mozzarella
pancakes et canard au cinq-épices
tartelettes au chèvre
gressins au sésame

noix de Saint-Jacques à la citronnelle

pancakes coco et poulet

noix de Saint-Jacques à la citronnelle

2 c. à soupe de citronnelle fraîche finement hachée
2 c. à café de gingembre frais râpé
1/2 piment rouge épépiné et finement haché
1 c. à soupe d'huile de sésame
2 c. à soupe de mirin
1 c. à soupe de nuoc-mâm
le jus d'1 citron vert
12 noix de Saint-Jacques nettoyées, dans leur coquille
quelques feuilles de coriandre
des quartiers de citron vert

Mélangez la citronnelle, le gingembre, le piment, l'huile de sésame, le mirin, le nuoc-mâm et le jus de citron. Laissez reposer quelque temps. Versez un peu de marinade sur chaque noix de Saint-Jacques et disposez-les, dans leur coquille, dans un ou deux paniers de cuisson vapeur. Posez les paniers au-dessus d'une casserole d'eau frémissante, couvrez et faites cuire 4 minutes en inversant les paniers à mi-cuisson. Retirez les coquilles des paniers en évitant de laisser s'échapper le jus. Servez-les aussitôt, parsemées de coriandre, avec des quartiers de citron vert. Pour 2 personnes.

pancakes coco et poulet

160 ml de jus de citron vert
2 c. à café d'huile de sésame
2 c. à soupe de sucre de palme râpé
2 c. à café de nuoc-mâm
1 c. à café de piment rouge épépiné et finement haché
40 g de blanc de poulet poché et déchiqueté
125 g de farine
1 œuf légèrement battu
le zeste et le jus d'1 citron vert
250 ml de lait de coco
30 g de menthe fraîche
20 g de feuilles de coriandre fraîche

Dans un saladier, mélangez le jus de citron vert, le sucre, l'huile de sésame, le nuoc-mâm et le piment. Quand le sucre est dissous, ajoutez le poulet. Tamisez la farine et 1/2 cuillerée à café de sel dans un autre récipient. Creusez un puits et versez l'œuf, le zeste et le jus de citron vert, le lait de coco. Fouettez pour obtenir une pâte lisse. Chauffez une poêle antiadhésive à feu doux. Faites couler la pâte en formant une sorte de dentelle d'un diamètre de 10 cm. Laissez cuire 2 minutes, puis retournez et faites cuire encore 1 à 2 minutes. Répétez l'opération avec le reste de pâte. Mélangez dans un bol la menthe, la coriandre et le poulet. Déposez sur chaque pancake un peu de ce mélange. Pour 20 pancakes.

biscuits épicés

1 c. à soupe de gingembre frais râpé
1 piment vert épépiné et finement haché
200 g de noix de cajou
100 g de pistaches
200 g de farine de riz
2 c. à café de cumin en poudre
2 c. à soupe de coriandre fraîche grossièrement hachée
1 c. à soupe de graines de sésame noir
20 g de beurre
2 c. à café de sel
2 œufs battus
3 c. à soupe d'eau
150 ml d'huile végétale

Mixez le gingembre, le piment, les noix de cajou, les pistaches, la farine, le cumin, la coriandre, les graines de sésame, le beurre et 2 cuillerées à café de sel. Mettez la préparation dans un saladier puis ajoutez les œufs et 3 cuillerées à soupe d'eau. Remuez pour obtenir une pâte homogène et légèrement collante. Formez-en des petits pavés. Faites chauffer de l'huile à feu doux dans une sauteuse ou un wok et faites-y dorer les biscuits 5 minutes en les retournant à mi-cuisson. Égouttez-les sur du papier absorbant. Pour 55 biscuits.

Ces biscuits épicés aux saveurs d'Asie sont parfaits pour accompagner des cocktails alcoolisés comme les martinis, les gins tonics ou des mélanges à la vodka.

tartelettes aux artichauts

120 g de cœurs d'artichauts marinés, bien égouttés
15 gousses d'ail rôties au four, sans la peau
60 ml d'huile d'olive
1/2 c. à café d'huile à la truffe
20 fonds de tartelettes précuits (p. 78)
30 g de parmesan frais en copeaux

Mixez les cœurs d'artichauts, l'ail, l'huile d'olive et l'huile à la truffe. Salez et poivrez. Déposez 1 cuillerée à café de cette purée dans les fonds de tartelettes et décorez de copeaux de parmesan. Pour 20 tartelettes.

pain noir toasté et saumon gravlax

1 jaune d'œuf
1 c. à café de graines de moutarde
1 c. à soupe de jus de citron
1/2 c. à café de sucre
60 ml d'huile d'olive
180 ml d'huile végétale
3 c. à café d'aneth frais finement ciselé
150 g de gravlax (p. 118)
30 carrés de pain noir

Fouettez le jaune d'œuf, les graines de moutarde, le jus de citron, le sucre et 1/2 cuillerée à café de sel dans un bol. Dans un petit pichet, mélangez les deux huiles et versez-les lentement dans le bol de sauce, sans cesser de fouetter, pour obtenir une mayonnaise épaisse. Incorporez l'aneth et réservez. Disposez le saumon sur les tranches de pain et assaisonnez de sauce à l'aneth. Poivrez et servez.
Pour 30 canapés.

tartelettes aux haricots blancs et tomates cerises

100 g de haricots blancs
2 gousses d'ail
30 tomates cerises
2 c. à soupe de thym
120 ml d'huile d'olive
30 fonds de tartelettes précuits (p. 78)

Faites tremper les haricots la veille dans de l'eau froide. Le lendemain, égouttez-les et mettez-les dans une casserole d'eau avec l'ail. Portez à ébullition et laissez frémir 40 minutes. Préchauffez le four à 180 °C et mettez les tomates cerises dans un plat avec la moitié du thym, la moitié de l'huile d'olive et 1 pincée de sel. Laissez rôtir 30 minutes. Ajoutez 2 cuillerées à café de sel aux haricots dans les 5 dernières minutes de cuisson. Quand ils sont tendres, égouttez-les. Réduisez-les en purée en ajoutant le reste d'huile d'olive et de thym. Salez et poivrez. Étalez sur chaque fond de tartelette 1 cuillerée à café de purée de haricots et décorez d'une tomate cerise grillée. Servez immédiatement.
Pour 30 tartelettes.

beignets de crevettes à la noix de coco

4 blancs d'œufs
125 g de farine
100 g de noix de coco râpée
170 ml d'huile végétale
20 crevettes crues décortiquées, la queue intacte

Fouettez légèrement les blancs d'œufs : ils doivent former une mousse blanche fluide. Mettez dans deux assiettes la farine et la noix de coco. Faites chauffer l'huile dans une grande sauteuse. Plongez les crevettes une à une dans les blancs d'œufs avant de les passer d'abord dans la farine puis dans la noix de coco.

Quand l'huile est bien chaude, ajoutez-y 5 crevettes (en prenant garde aux projections) et laissez-les frire pour qu'elles dorent de toutes parts. Égouttez-les sur du papier absorbant. Faites cuire le reste des crevettes en plusieurs fois. Servez avec une sauce au piment et des quartiers de citron. Pour 20 beignets.

crevetttes à la citronnelle

crabe au citron, persil et piment

crevettes à la citronnelle

20 brochettes en bambou
2 blancs de citronnelle émincés
1 poignée de coriandre fraîche
4 c. à soupe de farine de riz
1 c. à soupe de sucre de palme râpé
2 c. à soupe de jus de citron vert
20 crevettes crues décortiquées, la queue intacte

Faites tremper les brochettes au moins 30 minutes dans de l'eau froide. Mixez la citronnelle, la coriandre, la farine de riz, le sucre et le jus de citron pour obtenir une pâte épaisse.

Entaillez légèrement les crevettes en longueur en partant de la queue pour les ouvrir et aplatissez-les avec la paume de la main. Étalez dessus un peu de pâte à la citronnelle en pressant bien pour la faire adhérer à la chair. Plantez les crevettes sur les brochettes et faites-les cuire sur un gril en fonte ou au barbecue, quelques minutes sur chaque face. Servez avec des quartiers de citron vert. Pour 20 brochettes.

crabes au citron, persil et piment

10 tranches de pain de mie sans la croûte
50 ml d'huile d'olive
250 g de chair de crabe fraîche émiettée
2 c. à soupe de zeste de citron
1 c. à soupe d'huile d'olive
1 petit piment rouge épépiné et finement haché
quelques feuilles de persil plat finement ciselées
2 c. à café de jus de citron

325 °F

Préchauffez le four à 160 °C. À l'aide d'un emporte-pièce, découpez 4 cercles dans chaque tranche de pain de mie. Placez les disques sur une plaque de four, badigeonnez-les d'huile d'olive et faites-les dorer. Laissez le pain refroidir. Dans un saladier, mélangez la chair de crabe aux autres ingrédients. Garnissez chaque canapé avec 1 cuillerée à café de chair de crabe et servez aussitôt. Pour 40 canapés. (La garniture se garde plusieurs heures au frais et peut donc se préparer à l'avance.)

quesadillas au potiron

4 c. à soupe d'olives noires grossièrement hachées
1 piment rouge épépiné et émincé
125 ml d'huile d'olive
500 g de chair de potiron
1 c. à café de paprika doux
300 g de mozzarella râpée
150 g de feta émiettée
10 tortillas de maïs rondes de 16 cm de diamètre
90 g de coriandre

Préchauffez le four à 180 °C. Mixez les olives, le piment et l'huile pour obtenir un mélange aromatique. Détaillez le potiron en petits cubes et mettez-le dans un plat à rôtir, badigeonnez-le avec un peu d'huile parfumée et saupoudrez-le de paprika. Faites-le cuire 30 minutes au four. Pendant ce temps, mélangez les deux fromages dans un récipient.

Étalez une tortilla sur le plan de travail. Garnissez-la généreusement de fromage puis de potiron rôti et enfin de feuilles de coriandre. Recouvrez-la d'une autre tortilla. Répétez l'opération avec le reste des ingrédients. Quand toutes les quesadillas sont prêtes, étalez-les sur une plaque de cuisson et faites-les cuire au four 7 minutes de chaque côté. Sortez-les du four et coupez-les en quatre. Servez aussitôt. Pour 20 pièces.

Avec un daiquiri classique ou aux fruits, servez ces crevettes à la citronnelle ou encore ces bouchées de crabe au citron...

quesadillas au potiron

rouleaux de poisson aux noix de cajou

115 g de noix de cajou grillées
1 piment rouge épépiné et finement haché
1 poignée de coriandre fraîche
1 c. à café de zeste de citron vert râpé
1 c. à soupe de jus de citron vert
500 g de filet de cabillaud, sans peau ni arêtes
12 petites feuilles de riz
2 c. à soupe d'huile d'arachide

Mixez les noix de cajou, le piment, la coriandre, le zeste et le jus de citron. Détaillez le filet de poisson en 12 portions. Garnissez chaque portion d'un peu de mélange aux noix de cajou. Faites tremper une feuille de riz dans un bol d'eau chaude pour l'assouplir et disposez au centre une portion de poisson. Rabattez les bords pour enfermer le morceau de poisson. Répétez l'opération avec le reste des ingrédients.

Faites chauffer de l'huile dans une poêle antiadhésive pour y faire cuire les rouleaux de poisson. Laissez-les dorer 3 minutes de chaque côté. Servez avec le vinaigre ou une autre sauce de votre choix. Pour 12 rouleaux.

saumon en croûte

300 g de filet de saumon, sans peau ni arêtes
2 c. à café de sumac
1 c. à café de gingembre frais râpé
100 g de beurre coupé en dés et ramolli
1 c. à soupe de gingembre confit finement haché
1 c. à soupe de raisins secs
1 feuille de citronnier kaffir finement ciselée
2 rectangles de pâte feuilletée
2 c. à soupe de lait

Préchauffez le four à 200 °C. Découpez le filet de saumon dans la longueur en quatre bandes de 2 cm. Dans un saladier, mélangez le sumac, le gingembre râpé, le beurre, le gingembre confit, les raisins et la feuille de kaffir. Découpez chaque rectangle de pâte en deux et placez sur chaque bande de pâte un morceau de saumon. Garnissez de beurre parfumé et refermez la pâte en pinçant les bords sur le haut. Disposez ces feuilletés sur une plaque de cuisson recouverte de papier sulfurisé et badigeonnez-les d'un peu de lait. Faites-les cuire 20 à 25 minutes au four. Découpez-les en bouchées et servez. Pour 30 bouchées.

dés de tofu poivre et sel

1 blanc d'œuf
2 gousses d'ail pilées
1 c. à café de gingembre frais râpé
500 g de tofu ferme coupé en dés de 2 cm
4 c. à soupe de sucre
2 c. à café de jus de citron vert
1 c. à café de piment rouge finement haché
1/4 de concombre en petits dés
2 c. à soupe de Maïzena
1/2 c. à soupe de poivre du Sichuan pilé
1 c. à café de sucre en poudre
300 ml d'huile d'arachide pour la friture

Battez légèrement le blanc d'œuf puis ajoutez l'ail, le gingembre et le tofu. Couvrez et laissez reposer une nuit au réfrigérateur. Pour la sauce au concombre, portez à ébullition 40 cl d'eau et 3 cuillerées à soupe de sucre. Laissez refroidir puis ajoutez le jus de citron vert, le piment, le concombre et la coriandre. Réservez.

Dans une assiette creuse, mélangez la Maïzena, le poivre du Sichuan, le reste du sucre et 1 cuillerée à soupe de sel. Faites chauffer l'huile dans un wok à feu moyen. Farinez les morceaux de tofu et faites-les frire en plusieurs fois. Égouttez-les sur du papier absorbant. Servez immédiatement, avec la sauce au concombre. Pour 6 à 8 personnes.

bouchées de jambon cru et mozzarella

4 tomates olivettes
20 tranches fines de jambon cru
200 g de mozzarella

Coupez chaque tomate en 10 tranches. Détaillez la mozzarella en lamelles. Sur un plan de travail, étalez une tranche de jambon cru et disposez au centre une tranche de tomate, une tranche de mozzarella et une autre tranche de tomate. Rabattez les extrémités du jambon sur la garniture. Faites revenir les bouchées à feu moyen 2 à 3 minutes à feu moyen. Pour 20 bouchées.

pancakes au lait de coco et canard au cinq-épices

tartelettes au chèvre

pancakes au lait de coco et canard au cinq-épices

1 canard cuit au barbecue chinois, peau et chair déchiquetées
2 c. à café de cinq-épices
125 g de farine de riz
450 ml de lait de coco
1 œuf battu
1 c. à soupe de sucre de palme râpé
1 c. à café de gingembre frais râpé
1 à 2 c. à soupe d'huile d'arachide
30 g de coriandre fraîche

Faites griller la peau du canard au four 1 à 2 minutes. Réservez dans un saladier, ajoutez la viande de canard et le jus. Assaisonnez de cinq-épices.

Pour les pancakes, tamisez la farine et 1 pincée de sel dans un saladier. Versez le lait de coco, l'œuf, le sucre et le gingembre. Fouettez pour obtenir une pâte lisse.

Faites chauffer l'huile dans une poêle à feu moyen. Posez 2 ou 3 feuilles de coriandre au centre de la poêle et versez dessus 2 cuillerées à soupe de pâte, pour obtenir un pancake de 10 cm de diamètre. Faites-le dorer sur les deux faces. Répétez l'opération jusqu'à épuisement de la pâte. Disposez un peu de canard mariné près d'un des côtés des pancakes, assaisonnez de sauce hoisin ou à la prune, roulez les pancakes et servez. Pour 20 pancakes.

tartelettes au chèvre

2 feuilles de pâte filo
1 peu de thym frais ciselé
150 g de fromage de chèvre
250 ml de crème fraîche
1 œuf battu
3 jaunes d'œufs

Préchauffez le four à 180 °C. Coupez chaque feuille de pâte en 36 petits carrés de 5 cm de côté. Beurrez légèrement 3 plaques de 12 moules à muffins. Disposez au fond de chaque moule un carré de pâte, badigeonnez-le de beurre fondu, ajoutez un peu de thym puis recouvrez-le d'un autre carré de pâte disposé en étoile par rapport au premier. Beurrez-le également un peu. Faites cuire la pâte 1 minute au four pour qu'elle dore légèrement.

Dans un saladier, émiettez le fromage de chèvre. Ajoutez lentement la crème en écrasant le mélange à la fourchette.

Incorporez l'œuf et les jaunes d'œufs, salez et poivrez. Versez ce mélange sur les fonds de pâte et faites cuire 12 minutes au four. Pour 36 tartelettes.

gressins au sésame

7 g de levure de boulanger
1/2 c. à café de sucre en poudre
310 g de farine
2 c. à soupe de graines de sésame noir
1 c. à soupe de cumin moulu
2 c. à soupe de thym frais haché
1 œuf battu
1 c. à soupe d'huile d'olive

Dans un bol, mélangez la levure de boulanger, 250 ml d'eau tiède et le sucre. Laissez reposer 5 à 10 minutes jusqu'à ce que la surface commence à mousser. Dans un grand saladier, mélangez la farine, les graines de sésame, le cumin, le thym et 1/2 cuillerée à café de sel. Versez alors la levure et mélangez bien. Formez une boule et pétrissez-la pendant 8 à 10 minutes sur une surface farinée jusqu'à ce que la pâte soit lisse et élastique. Mettez-la dans un saladier huilé et couvrez de film plastique. Laissez lever 3 heures dans un endroit tiède.

Quand la boule a doublé de volume, pétrissez-la encore 1 à 2 minutes sur une surface farinée puis abaissez-la à 5 mm d'épaisseur. Découpez-la ensuite en bandes de 1 cm de large sur 25 cm de long. Roulez légèrement ces dernières et disposez-les sur des plaques de cuisson recouvertes de papier sulfurisé. Couvrez et laissez lever 30 minutes.

Préchauffez le four à 180 °C. Dans un petit saladier, battez l'œuf avec 60 ml d'eau. Badigeonnez d'œuf les gressins. Mettez-les au four et faites-les cuire 15 minutes. Sortez-les du four, badigeonnez-les d'huile d'olive et salez-les. Remettez-les au four 4 à 5 minutes puis laissez-les refroidir sur une grille. Conservez dans une boîte hermétique jusqu'au moment de servir. Pour 30 à 35 gressins.

Ouvrez la soirée avec des gressins au sésame servis à l'apéritif avec des olives marinées et d'autres amuse-bouches.

gressins au sésame

dîners simples ou repas de fête

Même en semaine, le dîner reste un moment important car il rassemble tout le monde autour de la table. Et si on rentre tard le soir, il est facile de préparer un plat unique... Réservez les recettes les plus originales pour les soirées entre amis...

pour débuter

bouillons en tous genres

les soupes classiques

les rôtis et leurs accompagnements

le poisson en croûte de sel

les sauces classiques

les légumes

les pommes de terre et les purées

riz ou nouilles

la cuisson au wok

le bouillon de volaille

1 Versez dans un faitout 3 litres d'eau froide. Plongez-y un beau poulet coupé
   en morceaux et portez à ébullition.

2 Dès les premiers bouillons, baissez le feu et laissez frémir. Écumez la surface
   puis ajoutez 1 oignon coupé en quatre, 2 branches de céleri, 1 poireau
   en tranches épaisses, 1 feuille de laurier, quelques tiges de persil plat
   et 6 grains de poivre noir. Maintenez à très petit frémissement pendant
   2 heures.

3 Passez le bouillon au-dessus d'un grand récipient et laissez-le refroidir
   à température ambiante. Mettez-le ensuite au réfrigérateur : une couche
   de graisse va se former à la surface que vous pourrez enlever facilement
   à la cuillère si le bouillon est très froid. Pour 2 litres environ.

conseils et astuces

● Le bouillon se garde 3 jours maximum au réfrigérateur. Si vous n'utilisez
  pas tout le bouillon préparé, congelez-en une partie dans des barquettes
  alimentaires en aluminium ou dans des bacs à glaçons.

● Vous pouvez préparer ce bouillon avec la carcasse et les restes d'un poulet
  rôti (il sera meilleur s'il y a un peu de viande sur les os). Procédez comme
  indiqué plus haut en enrichissant l'eau de cuisson de dés de courgette et
  de carotte. Ce bouillon pourra servir de base à un potage léger : après l'avoir
  passé dans un tamis fin, faites-y cuire quelques légumes frais et une poignée
  de riz, d'orge ou de pâtes fines.

les bouillons classiques

veau

Préchauffez le four à 200 °C. Mettez 1 kg d'os de veau avec un peu de viande dans un grand plat, nappez-les avec 2 cuillerées à soupe d'huile d'olive et faites rôtir 30 minutes. Ajoutez 2 oignons en quartiers, 3 gousses d'ail pilées, 3 poireaux émincés, 2 tiges de céleri et 2 tomates coupées en deux. Laissez cuire encore 1 heure au four puis transférez le tout dans un faitout et couvrez largement d'eau froide. Portez à ébullition puis baissez le feu. Écumez la surface, ajoutez 1 feuille de laurier et 6 grains de poivre puis laissez frémir 4 heures. Passez le bouillon au-dessus d'un grand récipient et laissez-le refroidir à température ambiante. Mettez-le ensuite au réfrigérateur pour le dégraisser plus facilement (p. 282). Vous pouvez le faire frémir à nouveau 1 heure au moins à feu très doux pour en concentrer les arômes. Pour 2 litres environ.

légumes

Faites fondre 2 belles noix de beurre dans un faitout pour y faire revenir 2 gousses d'ail pilées et 2 oignons émincés. Quand ils sont tendres et à peine dorés, ajoutez 4 poireaux émincés, 3 carottes en tranches fines, 3 branches de céleri, 1 bulbe de fenouil en quartiers, 1 poignée de persil plat, 2 branches de thym frais, 1 feuille de laurier et 2 grains de poivre. Couvrez avec 4 litres d'eau froide, portez à ébullition puis baissez le feu et laissez frémir 2 heures environ. Faites refroidir à température ambiante puis passez le bouillon dans un tamis fin en pressant bien les légumes sur les parois du tamis pour en exprimer tout le jus. Remettez-le sur le feu et laissez-le frémir à nouveau un bon moment pour le faire réduire de moitié. Pour 2 litres environ.

dashi

Mettez dans un faitout 2 litres d'eau froide et 30 g de kombu séché. Faites chauffer le mélange à feu moyen pour que le point d'ébullition ne soit atteint qu'au bout de 10 minutes de cuisson. Les feuilles de kombu doivent être souples. Retirez-les alors de l'eau. Remettez le faitout sur le feu après avoir ajouté 125 ml d'eau froide et 20 g de bonite séchée (en paillettes). Dès que le mélange est à ébullition, retirez le faitout du feu et écumez la surface. Quand les paillettes de bonite remontent à la surface, passez le dashi dans un tamis tapissé d'une fine mousseline. Le bouillon doit être clair sans la moindre parcelle de bonite. Pour 2 litres environ.

poisson

Mettez dans un faitout 1 kg de poisson de roche (contenant beaucoup d'arêtes) et couvrez avec 2 litres d'eau froide. Faites chauffer jusqu'au point d'ébullition puis baissez le feu et laissez frémir 20 minutes. Passez le liquide dans une mousseline fine et transvasez-le dans une autre casserole. Ajoutez 1 oignon coupé en quatre, 1 carotte en tranches, 1 bulbe de fenouil émincé, 2 branches de céleri, quelques branches de thym et de persil et enfin 4 grains de poivre noir. Portez à nouveau à ébullition puis laissez frémir 35 minutes. Passez le bouillon dans un tamis et laissez refroidir. Pour 1 litre environ.

les soupes classiques

soupe de tomate et basilic

Faites chauffer 3 cuillerées à soupe d'huile d'olive dans une casserole pour y faire revenir 2 oignons rouges émincés et 2 gousses d'ail pilées. Quand l'oignon est tendre, ajoutez 1 kg de tomates fraîches pelées et détaillées en cubes. Laissez-les cuire 5 minutes. Versez alors 1 litre de bouillon de légume (p. 284), portez à ébullition puis laissez frémir 20 minutes. Retirez du feu et laissez refroidir quelques minutes. Ajoutez 15 feuilles de basilic avant de mixer le mélange pour obtenir une soupe lisse. Salez et poivrez. Réchauffez rapidement sans laisser bouillir.
Pour 4 personnes.

soupe d'hiver au poulet

Faites chauffer 2 cuillerées à soupe d'huile dans une casserole pour y faire dorer 2 tranches de bacon en fines lanières et 2 oignons émincés. Ajoutez ensuite 1 carotte grossièrement râpée, 1 feuille de laurier, 2 pommes de terre pelées et détaillées en cubes et 3 branches de céleri en tranches fines. Laissez cuire 1 minute en remuant sans cesse avant d'ajouter 2 blancs de poulet coupés en petits dés et 1,5 litre de bouillon de volaille (p. 282). Laissez frémir 30 minutes. Quand les légumes et la viande sont cuits, retirez la casserole du feu, salez et poivrez à votre convenance et décorez de persil plat ciselé. Servez sans attendre. Pour 4 personnes.

soupe au canard et aux nouilles

Dégraissez 2 filets de canard rôtis (gardez la graisse)
et détaillez-les en tranches de 5 mm d'épaisseur. Coupez
8 oignons verts en tronçons. Faites chauffer la graisse
de canard dans une poêle pour y faire revenir les oignons.
Faites cuire 250 g de nouilles soba dans un grand volume
d'eau bouillante salée puis égouttez-les. Mélangez dans
une autre casserole 1,5 litre de dashi (p. 285) et 1 cuillerée
à soupe de sucre en poudre. Portez à ébullition puis laissez
frémir 10 minutes avant d'y faire pocher la viande 1 minute.
Répartissez les nouilles dans quatre bols préchauffés avant
d'ajouter la viande et les oignons verts. Versez dessus
le bouillon chaud. Remuez et servez. Pour 4 personnes.

soupe du pêcheur

Faites chauffer 2 cuillerées à soupe d'huile d'olive dans
une cocotte pour y faire revenir 1 oignon émincé, 2 gousses
d'ail pilées et 1 pincée de safran. Laissez cuire à feu moyen
quelques minutes. Quand l'oignon est tendre, ajoutez
1 bulbe de fenouil émincé et laissez cuire encore 2 minutes
en remuant. Incorporez alors 3 tomates bien mûres coupées
en morceaux et 1,5 litre de bouillon de poisson (p. 285).
Laissez frémir 10 minutes. Quand les tomates sont presque
réduites en purée, plongez dans le bouillon 500 g de filet
de poisson blanc coupé en morceaux et faites-le pocher
quelques minutes à peine : il doit être juste cuit. Salez et
poivrez. Servez avec des croûtons frits frottés d'ail et de
la rouille (p. 64). Pour 4 personnes.

le poulet rôti

1 Préchauffez le four à 200 °C. Parsemez de thym la base d'un plat à rôtir, salez le poulet sur toutes les faces et mettez-le sur le thym.

2 Coupez 1 citron en deux et 1 oignon brun en quatre. Mettez le tout à l'intérieur du poulet avec quelques branches de thym. Décollez délicatement la peau au-dessus de l'os central (bréchet) et glissez-y une noix de beurre. Faites de même à la jonction des cuisses.

3 Faites rôtir le poulet 1 h 15 environ. Pour vérifier s'il est à point, piquez une des cuisses ou un blanc avec une brochette : le jus qui s'en écoule doit être parfaitement clair. Frottez le poulet avec un quartier de citron et remettez-le à cuire pendant 5 minutes. Sortez-le du four, couvrez-le d'une feuille d'aluminium sans serrer et laissez-le reposer 10 minutes avant de le découper. Présentez le jus de cuisson dans une saucière.

conseils et astuces

- Le poulet rôti peut être parfumé de mille et une manières. Apprenez à décoller délicatement la peau sur la plus grande partie de la volaille et préparez un beurre aromatisé : au cinq-épices pour une saveur asiatique, au sumac pour donner à la chair une note à la fois acide et poivrée, au curry pour lui apporter un parfum indien. Disposez des petites parcelles de beurre en plusieurs endroits entre la chair et la peau : en fondant, celui-ci parfumera la viande et évitera dans le même temps qu'elle ne se dessèche. Vous pouvez aussi farcir l'intérieur de citronnelle et de gingembre ou encore d'olives noires et de citron confit.

- Choisissez toujours un poulet fermier élevé au grain et dans un espace assez grand pour lui permettre de se dégourdir les jambes... Les poulets bio sont généralement d'excellente qualité mais vous trouverez aussi de très bonnes volailles chez un volailler ou sur les marchés.

les rôtis

bœuf

Préchauffez le four à 220 °C. Déposez une belle pièce de
bœuf de 2 kg dans un plat à rôtir et laissez-la 30 minutes
à température ambiante. Badigeonnez-la d'huile d'olive,
salez et poivrez généreusement. Faites-la cuire au four
20 minutes puis baissez le thermostat à 180 °C et prolongez
la cuisson d'environ 20 minutes pour une viande saignante.
Si la pièce est assez large et qu'un jus très rouge s'en
écoule quand vous la piquez avec une fourchette, faites-la
cuire encore 10 minutes. Sortez-la du four, couvrez-la d'une
feuille d'aluminium et laissez-la reposer 15 minutes avant
de la découper. Servez avec de la fleur de sel et du poivre
au moulin. Accompagnez de moutarde, de légumes de votre
choix et de Yorkshire puddings (p. 292). Pour 8 personnes.

agneau

Préchauffez le four à 200 °C. Incisez en différents points
un gigot d'agneau d'1,5 kg avec la pointe d'un couteau
et glissez dans chaque entaille une fine tranche d'ail.
Badigeonnez la viande d'huile d'olive, salez et poivrez.
Mettez-la dans un grand plat, sur un lit de romarin. Faites
rôtir l'agneau 30 minutes puis arrosez-le de son jus de
cuisson. Baissez le thermostat à 180 °C et remettez la
viande au four 40 minutes. Quand elle est cuite, sortez-la
du four, couvrez-la d'une feuille d'aluminium et laissez-la
reposer 15 minutes avant de la découper. L'agneau se sert
légèrement rosé. Accompagnez de haricots secs, de
pommes de terre rôties ou de légumes verts et d'une sauce
à la menthe (p. 292). Pour 6 personnes.

porc

Demandez à votre boucher de vous préparer un rôti
d'1,5 kg environ et d'en entailler la couenne en losange.
Préchauffez le four à 220 °C. Salez et poivrez généreusement
le rôti. Disposez quelques brins de sauge dans un plat et
posez le rôti dessus, côté peau vers le haut. Faites-le cuire
25 minutes au four avant de réduire le thermostat à 180 °C.
Arrosez de jus de cuisson et laissez cuire encore 1 heure.
En piquant la viande dans sa partie la plus épaisse avec la
pointe d'une brochette, vous devez obtenir un jus clair et
transparent. S'il est un peu rosé, prolongez la cuisson de
10 minutes. Sortez la viande du four, couvrez-la d'une feuille
d'aluminium et laissez-la reposer 15 minutes avant de la
découper. Servez avec des pommes rôties (p. 293).
Pour 6 personnes.

poisson

Préchauffez le four à 180 °C. Mettez dans un plat à rôtir
2 blancs de citronnelle hachés, 1 morceau de gingembre frais
coupé en tranches et 3 oignons verts coupés en tronçons de
4 cm. Versez 250 ml de vin blanc sec. Rincez l'intérieur et
l'extérieur d'un poisson de 1,5 kg écaillé, essuyez-le avec du
papier absorbant et entaillez la chair en losange sur les deux
faces. Salez-le puis mettez-le dans le plat. Badigeonnez le
dessus d'un peu d'huile d'olive puis faites cuire le poisson
35 à 40 minutes au four. Servez avec des quartiers de citron
vert, une sauce au piment et au citron (p. 293) et un peu de
coriandre fraîche. Pour 4 personnes.

pour accompagner viandes ou poissons

yorkshire puddings

Tamisez 125 g de farine et 1 pincée de sel dans un saladier. Formez un puits au centre et ajoutez-y 2 œufs et 250 ml de lait. Mélangez bien pour obtenir une pâte fluide et sans grumeaux. Versez-la dans un récipient muni d'un bec verseur. Beurrez 2 plaques à muffins de 12 alvéoles chacune et faites-les chauffer 15 minutes au four à 200 °C. Versez ensuite très rapidement la pâte dans les alvéoles et remettez les plaques au four pendant 25 minutes. Pour 24 mini-puddings.

sauce à la menthe

Hachez très finement 1 poignée de menthe fraîche avec 1 cuillerée à café de sucre en poudre. Mettez le tout dans un bol, ajoutez 1 autre cuillerée à café de sucre, 2 cuillerées à soupe d'eau bouillante et 4 cuillerées à soupe de vinaigre de cidre. Pour 150 ml environ.

Si une viande rôtie vous semble un plat trop sommaire,

pommes rôties

Préchauffez le four à 180 °C. Mélangez dans un bol
2 cuillerées à soupe de vinaigre balsamique, 1 cuillerée
à soupe de miel liquide et 1 cuillerée à soupe de beurre
fondu. Poivrez généreusement. Coupez en quatre 2 pommes,
retirez le cœur et mettez-les dans la sauce. Quand elles
en sont bien enrobées, étalez-les dans un plat à rôtir et
badigeonnez-les avec le reste de sauce. Faites-les cuire
30 minutes au four, retournez-les et prolongez la cuisson
de 15 minutes. Pour 6 personnes.

sauce au piment et au citron

Mélangez dans une casserole 125 g de sucre de palme râpé
ou de sucre roux et 170 ml d'eau. Remuez bien pour faire
dissoudre le sucre puis laissez bouillir 3 minutes. Incorporez
1 cuillerée à soupe de piments séchés pilés grossièrement,
remuez puis retirez la casserole du feu. Quand la sauce a
refroidi, versez-y 2 cuillerées à soupe de jus de citron vert.

voici quelques accompagnements pour l'enrichir...

quelques farces pour les viandes

olive et basilic (agneau)

Mixez 85 g d'olives noires dénoyautées, 15 feuilles de basilic, 1 poignée de persil plat, 2 gousses d'ail et 100 g d'amandes en poudre. Donnez deux impulsions brèves pour obtenir une pâte épaisse et grossière. Farcissez-en une épaule d'agneau désossée et fermez le rôti avec de la ficelle de cuisine. Faites cuire la viande aussitôt.

pomme et sauge (porc)

Faites revenir à feu moyen dans une casserole légèrement huilée 1 oignon émincé, 2 gousses d'ail hachées, 3 feuilles de sauge et 3 tranches de jambon cru émincées très finement. Quand l'oignon est tendre, mettez le mélange dans un bol. Ajoutez 100 g de chapelure, 50 g de pommes séchées coupées en très petits morceaux et 2 cuillerées à soupe de jus de pomme. Salez et poivrez. Farcissez-en un filet mignon de porc (ouvrez-le avec un bon couteau) ou un morceau d'échine désossé. Fermez le rôti avec de la ficelle de cuisine et mettez-le au four aussitôt.

Ces farces sont faciles à préparer et apporteront

thym et bacon (poulet)

Faites fondre 2 noix de beurre dans une poêle pour y faire revenir 1 oignon émincé, 2 tranches de bacon hachées et 1 cuillerée à soupe de thym frais ciselé. Quand l'oignon est tendre, transférez le mélange dans un bol. Ajoutez-y 125 g de chapelure, le zeste et le jus d'1 citron, 1 poignée de persil plat ciselé et 1 œuf légèrement battu. Mélangez. Farcissez-en l'intérieur d'un poulet et faites cuire aussitôt ce dernier.

épinards et noix (bœuf)

Lavez 500 g d'épinards, triez-les soigneusement en jetant les tiges et hachez-les grossièrement. Faites-les sauter 2 minutes environ avec 1 oignon émincé et 1 gousse d'ail pilée dans un peu de beurre. Retirez du feu et laissez refroidir. Mixez grossièrement 100 g de noix. Mélangez les noix et les épinards puis salez et poivrez. Ouvrez un filet de bœuf, aplatissez-le pour étaler la farce au centre. Refermez-le avec de la ficelle de cuisine et faites-le rôtir aussitôt.

à vos rôtis une touche originale et parfumée.

le poisson en croûte de sel

1 Pour cette recette, vous aurez besoin d'un beau poisson (dorade, bar) vidé mais avec ses écailles et d'1,5 kg de gros sel. Rincez l'intérieur du poisson et essuyez-le bien. Farcissez-le de branches d'aneth ou de thym.

2 Préchauffez le four à 200 °C. Étalez environ un tiers du sel dans la lèchefrite ou dans un grand plat à rôtir, disposez le poisson dessus et recouvrez-le avec le reste du sel. Pressez délicatement le sel pour le faire adhérer à la peau, en prenant soin que tout le poisson en soit recouvert (sauf la queue).

3 Faites cuire le poisson au four 30 minutes environ. Retirez le plat du four et cassez délicatement la croûte de sel sur le dessus : elle se détache par plaques entières. Fendez la peau du poisson au centre et décollez-la délicatement avant de prélever les filets. Ôtez ensuite l'arête centrale et prélevez les filets inférieurs. Aidez-vous d'une spatule longue pour éviter que les filets ne se cassent. Servez avec des quartiers de citron, un peu d'huile d'olive ou une mayonnaise au citron (p. 64). Accompagnez d'une salade verte ou de légumes braisés.

conseils et astuces

- Ce mode de cuisson garde au poisson tout son moelleux et la chair, bien protégée, ne peut pas sécher. Il est très important que la peau ait conservé ses écailles : dans le cas contraire, comme elle est très fine, le poisson serait excessivement salé.

- Vous pouvez cuire de la même manière un poulet en cocotte ou des pommes de terre avec la peau. Comptez 1 h 30 de cuisson pour un poulet de 2 kg et 1 heure pour 1 kg de pommes de terre moyennes réparties en une seule couche dans une cocotte. Servez les pommes de terre avec du fromage blanc à la coriandre.

les sauces classiques

au beurre

Piquez 1 oignon épluché avec 2 clous de girofle et mettez-le dans une casserole avec 500 ml de lait, 60 g de beurre et 1 feuille de laurier. Faites chauffer le tout jusqu'à ce que le beurre soit fondu puis laissez infuser 10 minutes hors du feu. Retirez l'oignon et le laurier. Remettez la casserole sur le feu et faites chauffer le lait jusqu'au point d'ébullition. Versez petit à petit 100 g de chapelure fine en remuant sans cesse et laissez épaissir. Ajoutez 1 belle noix de beurre, salez et poivrez. Mélangez une dernière fois et servez sans attendre avec un poulet rôti. Pour 6 personnes.

à l'oignon

Faites fondre 1 belle noix de beurre dans une casserole pour y faire revenir 1 oignon brun émincé et 1/4 de cuillerée à café de romarin ciselé. Quand l'oignon est tendre et transparent, couvrez et laissez cuire encore 15 minutes à feu très doux. Mouillez avec 250 ml de bouillon de veau (p. 284) et laissez frémir 10 minutes environ. Le liquide doit avoir beaucoup réduit. Salez et poivrez. Servez avec des saucisses grillées ou un rôti de bœuf. Pour 4 personnes.

au citron

Mettez dans une casserole 3 oignons verts émincés,
le jus d'1 citron et 250 ml de bouillon de poisson (p. 285).
Portez à ébullition puis laissez frémir 15 minutes pour faire
réduire le liquide de moitié. Incorporez au fouet 2 cuillerées
à soupe de beurre très froid. Servez avec du poisson grillé
ou au four. Pour 6 personnes.

au vin rouge

Mettez dans une casserole 1 oignon rouge émincé très
finement, 1 gousse d'ail hachée, 2 cuillerées à soupe de
céleri branche en très petits dés, 2 cuillerées à soupe de
carotte grossièrement râpée et 250 ml de vin rouge. Laissez
frémir 10 minutes puis passez-le mélange dans un tamis fin,
au-dessus d'une autre casserole. Mouillez avec 250 ml de
bouillon de veau (p. 284), portez à ébullition puis laissez
frémir à nouveau 15 minutes pour que le liquide réduise de
moitié. Juste avant de servir, incorporez au fouet 2 cuillerées
à soupe de beurre très froid. Servez avec un rôti de bœuf
ou d'agneau. Pour 4 personnes.

les légumes

Avec les légumes comme avec les fruits, la règle d'or est de respecter les saisons. Choisissez vos recettes en conséquence. Les légumes se prêtent à de nombreux mélanges mais essayez de les cuisiner simplement pour éviter d'en couvrir le goût avec trop de saveurs différentes. Contentez-vous de marier deux ou trois légumes différents, mais rarement plus. Ajoutez quelques épices ou herbes mais en quantité raisonnable. Et surveillez bien la cuisson car les légumes perdent beaucoup de leurs vitamines s'ils restent trop longtemps sur le feu.

Une manière simple de cuisiner les légumes consiste à les faire rôtir. Mettez-les dans un plat, versez un peu d'huile, ajoutez quelques aromates et faites-les cuire au four assez longtemps pour qu'ils dorent et soient parfaitement tendres. Pour tester quelques mélanges peu courants, faites rôtir du potiron en cubes avec un mélange de jus de citron, d'huile d'olive, de sauce de soja et de citronnelle ; ou encore faites rôtir des morceaux de patate douce avec de l'huile, du cumin et du piment haché très finement ; vous pouvez aussi faire rôtir une viande sur un lit de petits légumes (carottes, pommes de terre et navets) pour qu'ils soient parfumés avec le jus de la viande.

En été, essayez les aubergines et les courgettes coupées en tranches épaisses dans la longueur et badigeonnées d'un mélange d'huile et d'ail pilé. Faites-les griller tout simplement au barbecue ou sur une plaque en fonte. Ou encore disposez des tomates coupées en deux dans un grand plat, face coupée vers le haut, badigeonnez-les d'une très bonne huile d'olive et saupoudrez-les de thym frais avant de les faire rôtir au four.

quelques idées simples

- Les légumes verts comme les courgettes, les brocolis, les choux romanesco, les épinards, etc. exigent une cuisson rapide. Faites-les cuire séparément à la vapeur ou dans un peu d'eau salée. Présentez-les sur un grand plat sans les mélanger. Servez avec de l'huile d'olive, du sel et du poivre : chacun les accommodera à sa convenance.

- Faites cuire les petits pois avec deux ou trois feuilles de menthe et un cœur de salade. Vous pouvez ajouter un peu de sucre dans l'eau de cuisson. Égouttez-les, ajoutez une noix de beurre et servez sans attendre.

- Les haricots verts ou les haricots beurre se dégustent un peu croquants. Faites-les blanchir 8 minutes environ dans de l'eau bouillante légèrement salée puis égouttez-les. Si vous les servez en salade, vous pouvez stopper la cuisson en les passant sous l'eau froide ou les étaler dans un grand plat. Accommodez-les avec un mélange d'huile d'olive, de jus de citron ou de vinaigre balsamique et de cumin. Ajoutez un peu de coriandre ou de menthe.

- Mixez des haricots verts cuits avec du thym, du jus de citron et de l'huile d'olive. Parsemez cette purée de feta émiettée. Poivrez.

- Faites cuire des épis de maïs frais au barbecue et servez-les avec une mayonnaise au Tabasco, une salsa d'avocat (p. 156) ou un beurre aromatisé à la coriandre et aux olives noires.

- Faites revenir des courgettes en petits morceaux dans un peu d'huile d'olive chaude, ajoutez de l'ail pilé et laissez cuire jusqu'à ce que les courgettes soient tendres. Salez et poivrez puis saupoudrez de parmesan râpé. Servez avec des brochettes de poulet ou d'agneau.

- Coupez en tranches fines des bulbes de fenouil, mettez-les dans un plat avec un peu d'huile d'olive, de jus de citron et de persil plat. Salez et poivrez. Couvrez d'une feuille d'alu et faites cuire 30 minutes au four préchauffé à 200 °C.

- Faites cuire à la vapeur des carottes primeurs et des navets en botte (gardez un peu du vert des tiges) puis mélangez-les avec un peu de beurre fondu et de miel.

la pomme de terre

Elle a été longtemps la base de notre alimentation, tour au moins à partir du XVIIIe siècle. Importée d'Amérique du Sud deux siècles plus tôt, elle a mis quelque temps à s'imposer puis quelques hommes avisés ont su en tirer parti pour faire face aux famines qui régnaient alors régulièrement en Europe.

Mise à l'index par certains diététiciens, elle offre pourtant une bonne valeur nutritive car elle est énergétique. Pour ceux qui doivent contrôler leur poids, il est bon de savoir que ce n'est pas tant la pomme de terre qui fait grossir que le gras avec lequel on l'accommode… On peut donc la déguster simplement rôtie au four dans une feuille de d'aluminium et servie avec du fromage blanc à la coriandre : c'est bon, c'est sain et c'est diététique.

faire le bon choix

Sachez choisir les pommes de terre en fonction de la recette envisagée. On distingue deux grandes catégories.

- Les pommes de terre à chair farineuse sont très riches en amidon et ont tendance à se défaire si vous les faites cuire à l'eau. Elles sont parfaites pour les purées, car elles s'écrasent facilement. On les utilisera aussi dans les soupes pour donner un peu de liant. Elles donnent également des frites très moelleuses. Si vous les écrasez en purée, utilisez un presse-purée mais surtout pas un mixeur ou un robot électrique car l'amidon a tendance à former une masse collante. Autre astuce bonne à savoir : écrasez les pommes de terre quand elles sont très chaudes en les mouillant avec un mélange de lait et de crème également très chaud (ou en allongeant la purée avec de l'huile d'olive chaude). La purée supporte assez mal d'être réchauffée.

- Les pommes de terre à chair ferme sont parfaites pour les cuissons vapeur ou à l'eau. Elles conservent leur forme à la cuisson. On les utilisera pour des salades ou pour les servir en robe des champs (avec la peau), accompagnées de beurre ou d'une sauce aux herbes. On peut les utiliser aussi pour les faire sauter, les faire rôtir au four ou encore cuisinées en gratin. Vous trouverez dans cette catégorie la roseval, la charlotte, la bintje, la belle de fontenay ou la ratte. Pour faire cuire ces pommes de terre à l'eau, voici une technique simple et efficace : mettez-les dans une casserole, couvrez-les d'eau froide légèrement salée, portez à ébullition, ajoutez un couvercle et laissez frémir 10 minutes environ avant de retirer la casserole du feu. Laissez les pommes de terre dans l'eau 40 minutes.

- La plupart des pommes de terre nouvelles ont une chair ferme. Celles que vous trouvez à la fin du printemps ont une peau tellement fine qu'il suffit de les frotter pour retirer cette dernière. Elles ont un goût délicieusement sucré. Si vous les faites cuire à l'eau, mettez-les dans une eau en ébullition.

les pommes de terre rôties

Cette manière de cuisiner les pommes de terre est pratique car on peut préparer autre chose en même temps. Et le résultat est toujours délicieux.

- Pelez des pommes de terre et coupez-les en quartiers. Faites-les à peine cuire dans de l'eau bouillante salée (elles doivent être encore fermes) puis égouttez-les bien. Mettez-les ensuite dans un plat à rôtir, nappez-les d'huile d'olive, salez à votre convenance, et faites-les dorer au four pendant 1 heure à 200 °C, en les retournant au moins une fois pendant la cuisson. Elles doivent être croustillantes.

- Mettez des quartiers de pomme de terre à chair ferme dans un plat allant au four, versez 5 mm d'eau dans le plat, saupoudrez les pommes de terre de thym et de romarin ciselé et garnissez-les de petits morceaux de beurre. Couvrez d'une feuille d'aluminium et faites-les cuire dans le four préchauffé à 200 °C, d'abord 30 minutes à couvert, puis au moins 30 minutes après avoir retiré la feuille d'alu. Elles doivent être dorées et croustillantes.

- Mettez des petites pommes de terre nouvelles dans un plat avec des gousses d'ail entières. Nappez d'huile d'olive et assaisonnez avec de la cannelle moulue et du paprika. Remuez les pommes de terre pour les enrober de ce mélange puis mettez-les au four préchauffé à 200 °C. Laissez-les cuire jusqu'à ce qu'elles soient dorées et croustillantes.

- Pelez des pommes de terre et coupez-les en tranches fines. Disposez-les en couches dans un plat et couvrez-les de parcelles de beurre. Ajoutez des herbes fraîches et des tranches d'oignons que vous aurez d'abord fait revenir dans du beurre, dans une poêle antiadhésive, jusqu'à ce qu'elles soient bien dorées. Faites-les cuire au four préchauffé à 200 °C. Vous obtiendrez ainsi des chips très croustillantes et parfumées.

- Lavez des pommes de terre à l'eau froide puis coupez-les en quatre sans les peler. Mettez-les dans un plat à rôtir et nappez-les d'un mélange d'huile d'olive, de jus de citron et de thym. Remuez-les dans cette sauce puis faites-les cuire environ 1 h 30 au four préchauffé à 200°C.

les purées

haricots blancs

Faites tremper toute une nuit 200 g de haricots blancs
dans de l'eau froide. Égouttez-les et mettez-les dans une
casserole avec 4 gousses d'ail. Couvrez-les largement d'eau
froide et portez à ébullition puis laissez frémir 1 heure à feu
moyen. Salez 1 minute avant la fin de la cuisson. Quand
les haricots sont tendres, égouttez-les et écrasez-les avec
un presse-purée en ajoutant progressivement 125 ml d'huile
d'olive chaude et 1 cuillerée à soupe de thym frais ciselé.
Salez et poivrez. Servez aussitôt. Pour accompagner
des grillades ou un gigot d'agneau. Pour 4 personnes.

pommes de terre et céleri

Pelez 1 kg de céleri-rave et 2 belles pommes de terre.
Coupez-les en cubes et mettez-les dans une casserole d'eau
froide salée. Ajoutez le jus d'1 citron et 2 gousses d'ail.
Portez à ébullition puis laissez cuire 25 minutes environ.
Quand les légumes sont tendres, égouttez-les en réservant
un peu d'eau de cuisson. Remettez-les dans la casserole,
ajoutez 2 belles noix de beurre et 1/4 d'oignon blanc haché
très finement. Écrasez les légumes avec un presse-purée
en incorporant progressivement 125 ml de crème fraîche
juste réchauffée. Si la purée est trop épaisse, vous pouvez la
mouiller avec un peu d'eau de cuisson des légumes. Salez
et poivrez. Servez avec des grillades de bœuf ou d'agneau.
Pour 4 personnes.

Qui pourrait refuser une purée de pommes de

potiron

Pelez 1 kg de potiron et coupez-le en cubes. Mettez-le dans une casserole d'eau froide salée (l'eau doit juste le recouvrir) et faites-le cuire entre 12 à 15 minutes à petits bouillons. Surveillez bien la cuisson car le potiron a tendance à se défaire rapidement. Égouttez-le et remettez-le dans la casserole. Écrasez-le avec un presse-purée en ajoutant progressivement 100 g de beurre, du poivre noir moulu et 1 pincée de cumin. Nappez-le d'huile d'olive tiède. Servez avec des grillades de bœuf ou d'agneau. Pour 4 personnes.

pommes de terre

Épluchez 1 kg de pommes de terre à purée et coupez-les en morceaux. Faites-les cuire 30 minutes dans de l'eau salée. Dans une petite casserole, faites fondre 100 g de beurre dans 125 ml de lait. Gardez le mélange au chaud. Quand les pommes de terre sont cuites, égouttez-les et remettez-les dans la casserole. Écrasez-les avec un presse-purée en versant progressivement le mélange lait-beurre et en remuant bien. Salez et poivrez à votre convenance. Parfumez la purée de noix de muscade fraîchement râpée et servez sans attendre. Pour accompagner un poulet rôti ou des grillades de porc. Pour 4 personnes.

terre ou de légumes crémeuse et parfumée ?

le risotto

1 Faites chauffer 1 litre de bouillon de volaille (p. 282) ou de légumes (p. 284) dans une casserole jusqu'au point d'ébullition. Baissez le feu et laissez frémir. Le bouillon doit rester chaud tout le temps que durera la préparation du risotto. Faites fondre 50 g de beurre dans une sauteuse pour y faire revenir 1 oignon émincé et une quinzaine de filaments de safran.

2 Quand l'oignon est tendre, ajoutez 275 g de riz rond à risotto (arborio ou carnaroli) et remuez 1 minute sur le feu pour que les grains soient largement enrobés de beurre. Mouillez alors avec 250 ml de bouillon chaud et laissez frémir en remuant sans cesse jusqu'à ce que tout le liquide soit absorbé. Continuez de mouiller avec de petites quantités de bouillon. Quand le riz à fini de cuire, il doit être crémeux.

3 Avant la fin de la cuisson du riz, portez de l'eau salée à ébullition dans une casserole et faites-y blanchir 3 minutes 175 g d'asperges vertes puis égouttez-les et coupez-les en deux ou en trois. Incorporez au risotto 2 cuillerées à soupe de jus de citron et 85 g de parmesan râpé, salez et poivrez. Servez sans attendre avec les asperges. Pour 4 personnes.

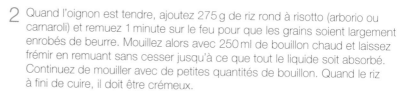

conseils et astuces

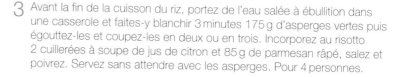

- Pour obtenir un risotto bien crémeux, assurez-vous que le bouillon soit toujours très chaud. Mouillez le riz en plusieurs fois et attendez que tout le liquide soit absorbé avant de rajouter du bouillon. Remuez sans cesse. Si vous craignez de manquer de liquide, faites-en chauffer un peu plus que la quantité indiquée.

- Pour simplifier la recette, vous pouvez transférer le riz aux oignons dans une cocotte et le mouillez en une seule fois avec tout le bouillon. Faites-le cuire au four à 160 °C en le remuant de temps à autre. Cette astuce vous permettra de préparer autre chose pendant ce temps mais le résultat ne sera pas aussi bon.

- Le safran est une des épices les plus chères au monde. Il apporte une saveur délicate à ce risotto, ainsi qu'une jolie couleur jaune orangé, mais vous pouvez le supprimer.

risottos classiques

à la tomate

Faites chauffer 1 litre de bouillon de volaille (p. 282) dans une casserole jusqu'au point d'ébullition. Baissez le feu et laissez frémir. Coupez en deux 8 tomates bien mûres, épépinez-les et coupez-les en petits cubes. Faites-les revenir dans 2 cuillerées à soupe d'huile d'olive et 1 noix de beurre, dans une grande casserole, avec 1 oignon émincé. Quand l'oignon est tendre, ajoutez 225 g de riz à risotto et remuez bien. Versez 125 ml de vin blanc, laissez frémir jusqu'à absorption complète puis mouillez avec 250 ml de bouillon très chaud. Laissez frémir à nouveau en remuant. Quand il ne reste plus de bouillon, ajoutez-en à nouveau, autant de fois que nécessaire pour obtenir un riz crémeux. Incorporez 100 g de parmesan fraîchement râpé et remuez. Ajoutez des feuilles de basilic ciselées et un filet d'huile d'olive. Pour 4 personnes.

à la pancetta et aux petits pois

Faites chauffer 1 litre de bouillon de volaille (p. 282) dans une casserole jusqu'au point d'ébullition. Baissez le feu et laissez frémir. Faites revenir 1 oignon émincé, 8 tranches de pancetta en petits morceaux et 8 feuilles de sauge dans 2 cuillerées à soupe d'huile d'olive et 1 noix de beurre, dans une grande casserole. Quand l'oignon est tendre, ajoutez 225 g de riz à risotto et remuez bien. Versez 250 ml de bouillon très chaud et laissez frémir jusqu'à absorption complète en remuant sans cesse. Mouillez à nouveau avec 250 ml de bouillon. Quand il est absorbé, ajoutez dans la casserole 150 g de petits pois surgelés puis 250 ml de bouillon. Si le riz est crémeux, cesser d'ajouter du bouillon ; dans le cas contraire, versez-en une dernière louche. Retirez la casserole du feu et ajoutez 70 g de parmesan fraîchement râpé et quelques feuilles de persil plat ciselé. Pour 4 personnes.

poireau et potiron

Faites chauffer 1 litre de bouillon de volaille (p. 282) dans
une casserole jusqu'au point d'ébullition. Baissez le feu
et laissez frémir. Émincez finement 2 blancs de poireaux.
Épluchez et coupez en petits dés 800 g de potiron. Faites
fondre 2 noix de beurre dans une casserole, ajoutez
2 gousses d'ail et les blancs de poireaux puis laissez cuire
à feu doux quelques minutes. Quand le poireau est tendre,
ajoutez 225 g de riz à risotto et remuez. Versez 250 ml
de bouillon très chaud et laissez frémir jusqu'à absorption
complète en remuant sans cesse. Ajoutez les dés de potiron
et mouillez aussitôt avec 250 ml de bouillon. Continuez de
mouiller avec le bouillon jusqu'à ce que le riz soit crémeux.
Hors du feu, incorporez 60 g de parmesan fraîchement râpé.
Nappez d'un filet d'huile d'olive au moment de servir.
Pour 4 personnes.

courgettes et thym

Faites chauffer 1 litre de bouillon de volaille (p. 282) dans une
casserole jusqu'au point d'ébullition. Baissez le feu et laissez
frémir. Faites fondre 1 noix de beurre dans une casserole
pour y faire revenir 1 oignon émincé et 3 courgettes coupées
en dés. Quand les légumes sont tendres, réservez hors
du feu. Dans une grande casserole, faites fondre 2 noix de
beurre avec 1 cuillerée à soupe de thym frais. Ajoutez 225 g
de riz et remuez pendant 1 minute avant de verser 250 ml
de vin blanc. Laissez frémir jusqu'à absorption complète
du liquide puis mouillez avec 250 ml de bouillon. Mouillez
à nouveau avec une louche de bouillon, en remuant toujours,
avant d'ajouter les courgettes et les oignons. Vérifiez la
cuisson du riz et ajoutez une dernière louche de bouillon
si nécessaire. Incorporez 70 g de parmesan râpé et un filet
d'huile d'olive. Pour 4 personnes.

les nouilles

Les pâtes sont italiennes, les nouilles asiatiques… En provenance de Chine, du Japon, de Thaïlande, on en trouve de toutes les formes et de toutes les textures. Fraîches ou sèches, élaborées avec du riz, du blé, du soja, du sarrasin, on les cuisine souvent très simplement, dans une soupe ou sautées au wok. On peut les faire gonfler dans l'huile chaude pour obtenir une texture croustillante ou les faire cuire à l'eau. Vous pourrez vous procurer des nouilles fraîches chez certains traiteurs asiatiques ou dans les magasins spécialisés. Les nouilles séchées se trouvent désormais facilement en grandes surfaces, tout comme les principales sauces chinoises ou thaïes et les ingrédients les plus importants de la cuisine asiatique. Pour les produits japonais, en revanche, vous devrez sans doute vous rendre chez des vendeurs spécialisés.

cuisiner les nouilles

- Les nouilles aux œufs sont un des ingrédients de base de la cuisine chinoise. Leur saveur riche est mise en valeur par des sauces très parfumées et par différents mélanges d'épices doux ou forts. Elles sont vendues séchées dans la plupart des grandes surfaces ou fraîches dans certaines épiceries asiatiques. Si vous vous rendez dans ces magasins spécialisés, profitez-en pour faire le plein d'ingrédients venus d'Asie ainsi que de certains légumes ou aromates frais spécifiques de la cuisine chinoise. Les nouilles séchées se font cuire dans de l'eau bouillante salée (respectez la durée indiquée sur l'emballage) avant d'être rincées puis égouttées : on les réchauffe ensuite dans une sauce (au wok) ou dans un bouillon. Pour les nouilles fraîches, il suffit de les faire tremper dans de l'eau très chaude pour les assouplir avant de les cuisiner.

- Les nouilles de soja, fines et translucides, sont aussi une spécialité chinoise. Essayez de les acheter en petits paquets. Pour les faire cuire, faites-les tremper 15 minutes dans de l'eau bouillante puis égouttez-les. Vous pouvez les faire frire dans de l'huile très chaude pour obtenir des nouilles croustillantes et gonflées ; surveillez attentivement la cuisson pour éviter qu'elles ne brûlent.

- Originaires du Nord du Japon, les nouilles soba sont élaborées avec un mélange de farine de blé et de sarrasin. Elles sont vendues en petits fagots et certaines sont colorées au thé vert. Elles sont fermes sous la dent. On les sert le plus souvent en sauce ou dans des bouillons. Pour les faire cuire, plongez-les dans un grand volume d'eau bouillante salée. Dès la reprise de l'ébullition, versez 125 ml d'eau froide. Répétez cette opération trois fois. Il faudra compter environ 6 minutes de cuisson en tout. Traditionnellement, les Japonais récupèrent l'eau de cuisson des nouilles pour mouiller ces dernières en y ajoutant diverses sauces.

- Les nouilles udon et les nouilles somen sont également originaires du Japon. La première est élaborée avec de la farine de blé ; elle est épaisse et blanche. On les sert chaudes, dans un bouillon, ou froides, en salade avec de la sauce de soja japonaise. Les nouilles somen et les nouilles udon cuisent en 4 à 5 minutes dans de l'eau bouillante (pour les nouilles fraîches, il suffit de les tremper dans de l'eau chaude pour les assouplir).

- Les nouilles de riz sont vendues fraîches ou sèches. Les premières sont assez larges et peuvent même se présenter en bandes que l'on découpe à la taille voulue. On les fait tremper dans de l'eau chaude pendant quelques minutes avant de les accommoder. Elles sont très utilisées dans les cuisines vietnamienne et thaïlandaise. Les nouilles de riz sèches cuisent elles aussi très rapidement dans de l'eau bouillante. Respectez les instructions figurant sur l'emballage. Enfin, les vermicelles de riz se présentent sous forme de petits écheveaux. On peut les faire cuire à l'eau ou les faire frire dans de l'huile très chaude.

- Toutes les variétés de nouilles asiatiques peuvent se préparer avec des légumes saisis au wok ou servir de base à une soupe riche dont les différents ingrédients seront cuits dans un bouillon clair et parfumé.

La cuisine au wok permet de une poêlée de champignons et

la cuisson au wok

1 Préparez à l'avance tous les ingrédients. Faites tremper 4 champignons shiitake déshydratés dans 125 ml d'eau chaude. Coupez 200 g de tofu ferme en cubes de 2 cm. Hachez finement 2 gousses d'ail. Émincez 3 oignons verts. Épépinez 1 piment rouge et hachez-le finement. Éboutez 125 g de pois gourmands et émincez 100 g de pleurotes frais. Nettoyez 500 g de cresson et retirez-en les tiges. Égouttez les shiitake (réservez leur eau de trempage), coupez les pieds et jetez-les, émincez les chapeaux.

2 Faites chauffer 3 cuillerées à soupe d'huile d'arachide dans un wok et faites-y dorer uniformément les dés de tofu. Égouttez-les sur du papier absorbant. Essuyez le wok avec du papier absorbant avant d'y faire chauffer à nouveau 1 cuillerée à soupe d'huile d'arachide et la même quantité d'huile de sésame. Faites-y revenir l'ail, les oignons et le piment pendant 1 minute, puis le reste des légumes, en procédant en plusieurs fois, jusqu'à ce qu'ils soient juste croquants.

3 Versez dans le wok 1 cuillerée à soupe de sauce de soja claire, 2 cuillerées à soupe de sauce hoisin, 1 cuillerée à soupe de nuoc-mâm et l'eau de trempage des champignons. Couvrez et laissez frémir 3 minutes. Ajoutez le tofu au dernier moment pour le réchauffer et servez sans attendre. Accompagnez de riz blanc cuit à la vapeur ou de nouilles frites. Pour 4 personnes.

conseils et astuces

● Pour réussir une cuisson au wok, il faut procéder rapidement. Il est donc indispensable que tous les ingrédients soient préparés à l'avance. Le wok doit être très chaud quand vous y versez l'huile et vous devez mélanger sans cesse pour une cuisson homogène. Les légumes doivent rester croquants.

● Faites toujours cuire les aliments en plusieurs tournées. Réservez-les et réchauffez-les rapidement au moment de servir. Achetez un grand wok pour pouvoir y cuisiner plus facilement de grandes quantités, en procédant en plusieurs fois.

nombreuses combinaisons. Dans cette recette, de légumes s'enrichit de saveurs et de parfums d'Asie.

les classiques du wok

porc au piment et aux petits pois

Émincez 400 g de filet de porc. Mélangez dans un récipient
3 cuillerées à soupe de sauce hoisin, 2 cuillerées à soupe de vin
de riz, 1 cuillerée à soupe de gingembre frais râpé, 1 petit piment
rouge émincé, 2 cuillerées à café d'huile de sésame et 1 gousse
d'ail pilée. Ajoutez les tranches de porc et mélangez. Laissez
mariner la viande au moins 3 heures au réfrigérateur. Égouttez-la
et réservez la marinade. Versez 1 cuillerée à soupe d'huile
végétale dans un wok bien chaud pour y faire revenir 1 poivron
en fines lanières et 300 g de petits pois frais non écossés. Quand
le poivron est tendre, retirez les légumes du feu et réservez-les
au chaud. Faites revenir la viande à la place jusqu'à ce qu'elle se
colore. Remettez les légumes dans le wok avec 90 g de germes
de soja et la marinade. Laissez chauffer 1 minute en remuant.
Décorez de basilic frais. Pour 4 personnes.

crevettes au gingembre

Décortiquez 800 g de crevettes en gardant la queue. Pelez
1 morceau de gingembre et coupez-le en fine julienne.
Émincez 2 poivrons rouges et 2 poivrons jaunes. Détaillez
en bâtonnets 2 petites courgettes. Versez 3 cuillerées à soupe
d'huile dans un wok très chaud pour y faire revenir les
crevettes 1 minute. Ajoutez le gingembre, les poivrons et les
courgettes. Laissez cuire encore 1 minute. Mouillez avec
4 cuillerées à soupe de vin de riz et laissez frémir 1 minute.
Versez alors 2 cuillerées à soupe de sauce de soja et
1 cuillerée à café d'huile de sésame. Mélangez bien et retirez
le wok du feu. Pour 4 personnes.

bœuf au sésame

Émincez 500 g de rumsteck. Mélangez 1 cuillerée à soupe d'huile d'arachide, 1 cuillerée à café d'huile de sésame et 2 gousses d'ail. Ajoutez la viande, et laissez mariner au moins 3 heures au frais. Préparez le reste des ingrédients : 250 g de pousses de bambou émincées, 500 g d'épinards grossièrement hachés et 2 piments rouges émincés. Mélangez 3 cuillerées à soupe de sauce hoisin, la même quantité de vin de riz et 1 cuillerée à soupe de sucre roux. Mettez le bœuf avec sa marinade dans un wok très chaud et laissez-le se colorer à feu vif. Retirez-le du wok et gardez-le au chaud. Faites dorer à la place 2 cuillerées à soupe de graines de sésame puis remettez le bœuf dans le wok avec les pousses de bambou, les épinards et les piments. Remuez 1 minute sur le feu puis versez la sauce au sucre et 1 cuillerée à soupe de jus de citron. Pour 4 personnes.

nouilles sautées

Lavez 550 g de bok choy et coupez-les en quatre. Épluchez 1 grand concombre, et coupez-le en tranches fines. Émincez 1 poivron rouge. Versez 1 cuillerée à soupe d'huile dans un wok très chaud pour y faire revenir 2 gousses d'ail hachées, 2 piments rouges émincés, 1 cuillerée à soupe de gingembre râpé et 1 oignon rouge émincé. Quand l'oignon est tendre, retirez le mélange du wok. Faites-y cuire à la place le bok choy et le concombre. Retirez-les du wok. Mettez à la place 450 g de nouilles aux œufs fraîches et 4 cuillerées à soupe de kecap manis. Faites-les sauter quelques minutes avant de remettre dans le wok les oignons et les légumes. Réchauffer le tout 1 minute. Pour 4 personnes.

recettes pour le soir

soupe de poivrons
soupe japonaise au miso
bouillon à la tomate et au tofu
soupe de crevettes à la citronnelle
soupe au maïs et aux haricots noirs
salade de haricots
pavés de cabillaud aux baies roses
soupe de poireau et pois chiches
souris d'agneau aux haricots blancs
côtelettes d'agneau au citron et au thym
polenta grillée aux champignons
tofu sauté aux champignons et au potiron
barramundi aux épices
côtelettes de veau panées
rôti de dinde aux épices cajun
curry de légumes
poulet rôti aux citrons marinés
magrets de canard aux épices
purée au safran et légumes rôtis
bœuf au poivre et purée de potiron
riz sauté aux tomates et aux épinards
risonis aux fruits de mer
tajine de poisson
thon aux feuilles de kaffir
porc épicé au choy sum
agneau rôti à la marocaine
moules au piment
steaks grillés et salsa aux oignons

soupe de poivrons

4 poivrons rouges
4 tomates bien mûres coupées en deux et épépinées
1 c. à soupe d'huile d'olive
750 ml de bouillon de légumes (p. 284)
1 c. à café de piment d'Espelette moulu
1 c. à café de cumin moulu
4 c. à soupe de yaourt nature
1 c. à soupe de menthe fraîche ciselée

Préchauffez le four à 200 °C. Mettez les poivrons et
les tomates dans un plat allant au four puis badigeonnez-les
avec une partie de l'huile d'olive. Faites-les rôtir 30 minutes au
four. Laissez-les quelques minutes à température ambiante
pour pouvoir les manipuler sans vous brûler et pelez-les.
Mixez les poivrons et les tomates en une purée lisse.

Transférez cette purée dans une casserole avec le bouillon
et les épices. Laissez chauffer jusqu'au point d'ébullition puis
laissez frémir 10 minutes environ. Salez et poivrez à votre
convenance. Servez chaud ou froid, avec des tranches
de pain grillées ou des tortillas de maïs dorées au four.
Pour 4 personnes.

soupe japonaise au miso

6 champignons shiitake déshydratés
1 c. à café de dashi en poudre
3 c. à soupe de miso blanc
3 c. à soupe de sauce de soja japonaise
300 g de potiron épluché et coupé en dés
200 g de nouilles somen
2 oignons verts émincés

Faites tremper les champignons 30 minutes dans 500 ml
d'eau chaude. Égouttez-les, jetez les pieds et émincez
les chapeaux. Gardez le liquide de trempage.

Mélangez dans une casserole le dashi, 1 litre d'eau, le liquide
de trempage des champignons, le miso, la sauce de soja,
les champignons et les dés de potiron. Portez à ébullition
puis laissez frémir 10 minutes.

Faites cuire les nouilles dans un grand volume d'eau
bouillante salée puis égouttez-les. Rincez-les à l'eau froide
puis répartissez-les dans des bols à soupe. Versez la soupe
au miso, remuez, décorez d'oignons verts et servez.
Pour 4 personnes.

bouillon à la tomate et au tofu

1 litre de bouillon dashi (p. 285)
2 c. à café de mirin
4 c. à soupe de miso blanc
1 c. à soupe de gingembre frais râpé
4 tomates olivettes bien mûres
300 g de tofu soyeux (silken)
120 g de pousses d'épinards
1 c. à soupe de sauce de soja

Mettez le bouillon, le mirin, le miso blanc et le gingembre
dans une casserole. Portez à ébullition puis laissez frémir.
Coupez les tomates en deux. Ôtez les pépins et jetez-les.
Coupez la chair des tomates en dés et ajoutez-les au
bouillon. Prolongez la cuisson de 10 minutes. Coupez
le tofu en cubes et mettez-le dans quatre assiettes
à soupe. Ajoutez les pousses d'épinards et la sauce de soja
dans le bouillon et faites cuire le tout 1 minute. Versez
le bouillon sur le tofu et servez aussitôt. Pour 4 personnes.

soupe de crevettes à la citronnelle

12 crevettes crues
3 tiges de citronnelle
100 g de pleurotes
100 g de champignons enoki
6 feuilles de citronnier kaffir
2 oignons verts émincés
150 g de germes de soja
le jus de 3 citrons verts
2 petits piments rouges
4 c. à soupe de nuoc-mâm
des feuilles de coriandre et de menthe pour décorer

Décortiquez les crevettes ; gardez les têtes et les carapaces.
Coupez les blancs de citronnelle en tronçons de 2 cm
(réservez le vert) et écrasez-les grossièrement.

Faites chauffer 1 litre d'eau dans une casserole, ajoutez
les têtes et les carapaces des crevettes ainsi que le vert
des tiges de citronnelle. Portez à ébullition puis filtrez le
bouillon dans un tamis fin, au-dessus d'une autre casserole.
Ajoutez les blancs de citronnelle, les champignons et les
feuilles de kaffir. Laissez frémir 4 minutes environ. Faites-y
pocher les crevettes puis ajoutez le reste des ingrédients,
sauf la menthe et la coriandre. Mélangez bien. Répartissez
la soupe dans des bols chinois et garnissez-la de coriandre
et de menthe. Pour 4 personnes.

soupe au maïs et aux haricots noirs

6 épis de maïs
1 c. à soupe d'huile d'olive
2 oignons rouges coupés en petits dés
2 gousses d'ail hachées très finement
1 piment rouge épépiné et émincé
2 c. à soupe de concentré de tomate
1 c. à café de paprika doux
1 litre de bouillon de volaille (p. 282)
200 g de haricots noirs en boîte
4 c. à soupe de crème aigre
quelques feuilles de coriandre

Avec la pointe d'un couteau, retirez les grains de maïs de leur épi. Faites chauffer l'huile à feu moyen dans une casserole pour y faire revenir l'oignon, l'ail et le piment pendant 5 minutes. Ajoutez les grains de maïs, le concentré de tomate, le paprika et le bouillon. Portez à ébullition puis laissez frémir 15 minutes. Ajoutez les haricots noirs au dernier moment pour les réchauffer. Répartissez la soupe dans des bols, déposez au centre 1 cuillerée de crème aigre et décorez de coriandre fraîche. Pour 4 personnes.

salade de haricots

3 c. à soupe d'huile d'olive
1 c. à soupe de jus de citron
1 c. à café d'huile de noix
1/2 c. à café de sucre en poudre
1/2 c. à café de moutarde de Dijon
400 g de haricots verts éboutés
400 g de haricots blancs en boîte rincés et égouttés
1 poignée de persil plat ciselé

Mélangez dans un saladier l'huile d'olive, le jus de citron, l'huile de noix, le sucre et la moutarde. Fouettez vivement à la fourchette. Salez et poivrez. Faites blanchir les haricots verts 8 minutes dans de l'eau bouillante salée puis égouttez-les bien et mettez-les aussitôt dans le saladier. Mélangez. Laissez refroidir avant d'ajouter les haricots blancs et le persil. Pour 4 personnes.

pavés de cabillaud aux baies roses

1 c. à café de baies de poivre rose
4 c. à soupe d'huile d'olive
2 c. à soupe de jus de citron
1 c. à soupe de gingembre mariné émincé très finement
1 poignée de feuilles de coriandre
1 c. à soupe de blanc de citronnelle haché très finement
4 pavés de cabillaud de 200 g chacun, sans les arêtes
2 c. à soupe d'huile végétale

Pilez grossièrement le poivre rose dans un mortier puis mettez-le dans un bol avec l'huile d'olive, le jus de citron, le gingembre, la coriandre ciselée et la citronnelle. Mélangez. Salez les pavés de cabillaud sur les deux faces. Faites chauffer à feu vif l'huile végétale dans une poêle antiadhésive pour y faire dorer le poisson 1 minute de chaque côté. Baissez le feu et laissez-le cuire 8 minutes environ en le retournant à mi-cuisson. Disposez les pavés de poisson sur les assiettes de service et nappez-les de sauce aux baies roses. Accompagnez de pois gourmands cuits à la vapeur. Pour 4 personnes.

soupe de poireau et pois chiches

2 noix de beurre
1 pincée de safran
3 blancs de poireaux émincés
le zeste d'1 citron coupé en fines lanières
1 carotte épluchée et grossièrement râpée
3 c. à soupe de persil plat ciselé
1 litre de bouillon de volaille (p. 282)
400 g de pois chiches en boîte rincés et égouttés

Faites fondre le beurre dans une casserole pour y faire revenir le safran et le poireau. Quand ce dernier est tendre, ajoutez le zeste de citron, la carotte et le persil. Laissez cuire 1 minute puis versez le bouillon et les pois chiches. Portez à ébullition puis laissez frémir 15 minutes environ. Pour 4 personnes.

souris d'agneau aux haricots blancs

côtelettes d'agneau au citron et au thym

souris d'agneau aux haricots blancs

125 g de farine
4 souris d'agneau
170 ml d'huile d'olive
1 oignon rouge finement haché
2 gousses d'ail pilées
1 c. à café de feuilles de romarin
1 branche de céleri émincée
2 carottes coupées en tranches fines
200 g de haricots blancs mis à tremper la veille
500 ml de bouillon de veau (p. 284)
125 ml de marsala sec
1 zeste de citron râpé et quelques feuilles de persil plat

Préchauffez le four à 200 °C. Farinez les souris d'agneau. Faites chauffer la moitié de l'huile dans une cocotte pour y faire dorer la viande de toutes parts. Retirez la cocotte du feu et couvrez-la pour que la viande reste chaude.

Faites chauffer le reste d'huile dans une grande poêle et faites-y revenir l'oignon, l'ail et le romarin. Quand l'oignon est tendre, mettez-le dans la cocotte avec le céleri, les carottes et les haricots égouttés puis versez le bouillon et le marsala. Couvrez et laissez cuire 2 heures au four en remuant de temps en temps. Retirez la cocotte du four et servez les souris d'agneau garnies de zeste de citron râpé et de persil ciselé. Pour 4 personnes.

côtelettes d'agneau au citron et au thym

20 g de thym
12 côtelettes d'agneau
3 c. à soupe de jus de citron
125 ml d'huile d'olive
550 g de pommes de terre à chair ferme
85 g d'olives noires
1 poignée de persil plat ciselé

Mettez la moitié du thym dans un plat en verre ou en céramique et disposez les côtelettes d'agneau dessus. Mélangez dans un bol le reste du thym, le jus de citron et la moitié de l'huile d'olive puis versez cette marinade sur la viande. Laissez reposer au moins 1 heure au frais.

Coupez les pommes de terre en quatre et mettez-les dans une grande casserole d'eau froide salée. Portez à ébullition. Dès que l'eau bout, couvrez la casserole et retirez-la du feu. Laissez reposer les pommes de terre 30 minutes dans l'eau chaude.

Sortez les côtelettes de la marinade et faites-les griller sur une plaque en fonte ou au barbecue, environ 3 minutes sur chaque face. Pendant que les côtelettes cuisent, égouttez les pommes de terre puis remettez-les dans la casserole avec les olives, le persil et le reste d'huile. Faites-les chauffer à feu moyen en remuant pour qu'elles colorent légèrement. Servez les avec les côtelettes et une salade verte. Pour 4 personnes.

polenta grillée aux champignons

5 g de cèpes déshydratés
350 g de polenta
70 g de parmesan fraîchement râpé
1 noix de beurre
1 gousse d'ail finement hachée
100 g de champignons de Paris émincés
100 g de champignons shiitake frais émincés
100 g de pleurotes émincés
100 g de roquette
2 c. à soupe d'huile d'olive

Faites tremper les cèpes dans un petit bol d'eau chaude. Versez 1,5 litre d'eau dans une casserole, ajoutez 1 pincée de sel et portez à ébullition. Versez la polenta en pluie, en remuant sans cesse. Quand le liquide est de nouveau à ébullition, réduisez le feu et laissez cuire 40 minutes, en remuant de temps en temps la polenta avec une cuillère en bois. Coupez le feu et incorporez le parmesan. Versez la polenta dans un moule rectangulaire huilé, égalisez la surface et laissez reposer.

Égouttez les cèpes en réservant leur liquide de trempage puis émincez-les. Mettez-les dans une poêle avec la noix de beurre et l'ail puis laissez cuire jusqu'à ce que l'ail commence à dorer. Mouillez avec le liquide réservé puis ajoutez les champignons de Paris et les shiitake frais. Couvrez et laissez mijoter 10 minutes. En fin de cuisson, ajoutez les pleurotes et laissez cuire encore 3 minutes. Salez et poivrez. Réservez.

Démoulez la polenta puis découpez-la en triangles. Disposez-les sur une plaque de cuisson tapissée de papier sulfurisé et faites-les dorer sous le gril du four en les retournant une fois. Servez la polenta avec la roquette et les champignons. Nappez d'huile d'olive. Pour 4 personnes.

polenta grillée aux champignons

tofu sauté aux champignons et au potiron

300 g de tofu ferme
6 champignons shiitake déshydratés
1 morceau de gingembre émincé
250 g de daïkon en rondelles de 1 cm d'épaisseur
1 carotte en rondelles de 1 cm d'épaisseur
500 g de potiron pelé et coupé en cubes

Laissez le tofu au moins 30 minutes à température ambiante avant de le cuisiner. Pendant ce temps, faites tremper les champignons dans 500 ml d'eau chaude.

Égouttez les champignons, jetez les pieds et émincez finement les chapeaux. Mettez-les dans une casserole avec leur liquide de trempage, le gingembre, le daïkon et la carotte. Portez à ébullition puis baissez le feu et laissez mijoter 10 minutes. Ajoutez le potiron et poursuivez la cuisson à feu doux pendant 30 minutes environ.

Coupez le tofu en dés et garnissez-en deux bols. Ajoutez le mélange au potiron et le bouillon. Servez sans attendre. Pour 2 personnes.

barramundi aux épices

12 noix de macadamia entières
1/4 d'oignon blanc coupé en petits dés
4 gousses d'ail
2 piments rouges épépinés et finement hachés
2 c. à café de gingembre frais finement râpé
1 c. à café de curcuma moulu
4 c. à soupe d'eau de tamarin
1 c. à café de sauce de soja
4 filets de barramundi de 200 g chacun
120 ml de lait de coco
des légumes vapeur en accompagnement

Préchauffez le four à 200 °C. Mixez les noix, l'oignon, l'ail, les piments, le gingembre, le curcuma, l'eau de tamarin et la sauce de soja pour obtenir une pâte homogène. Frottez la chair du poisson avec la moitié de cette pâte puis posez les filets sur une plaque de cuisson et faites-les cuire 12 minutes au four. Mettez la pâte qui reste dans une petite casserole avec le lait de coco. Mélangez et faites chauffer à feu moyen. Lorsque le poisson est cuit, servez avec des légumes vapeur (choux ou brocolis chinois, bok choy…) et la sauce au lait de coco. Pour 4 personnes.

côtelettes de veau panées

4 feuilles de sauge
85 g de chapelure
4 c. à soupe de parmesan râpé
2 c. à soupe de persil plat ciselé
2 œufs
4 côtelettes de veau de 200 g chacune
2 noix de beurre
2 c. à soupe d'huile d'olive

Préchauffez le four à 200 °C. Mixez la sauge, la chapelure, le parmesan et le persil puis salez et poivrez à votre convenance. Mettez le mélange dans une assiette creuse. Battez légèrement les œufs dans une autre assiette creuse. Plongez les côtelettes une à une dans les œufs battus avant de les passer dans le mélange aux herbes en les retournant plusieurs fois.

Faites chauffer le beurre et l'huile dans une poêle à feu vif pour y faire dorer la viande 2 minutes de chaque côté. Mettez-la ensuite dans un plat à rôtir et terminez la cuisson au four pendant 12 minutes. Servez avec une salade verte et des quartiers de citron. Pour 4 personnes.

rôti de dinde aux épices cajun

1 kg de pousses d'épinards lavées et égouttées
1 morceau de dinde de 1,5 kg environ
1 c. à soupe d'huile d'olive
2 c. à soupe d'épices cajun
20 g de thym frais
de la sauce aux airelles pour accompagner

Préchauffez le four à 180 °C. Faites blanchir les pousses d'épinards dans de l'eau bouillante salée puis égouttez-les. Ouvrez le morceau de dinde pour former une poche à l'intérieur que vous badigeonnerez avec l'huile d'olive. Étalez sur l'huile le mélange cajun. Pressez les épinards entre la paume de vos mains pour éliminer l'excédent de liquide, salez et poivrez puis ajoutez le thym. Farcissez-en le filet de dinde avant de l'enrouler dans une feuille de papier sulfurisé. Faites-le cuire au four pendant 40 minutes.

Sortez le filet de dinde du four et laissez-le reposer avant de le découper en tranches. Nappez-le de jus de cuisson et de sauce aux airelles. Pour 4 personnes.

Au cœur de l'hiver, faites entrer un peu de soleil ou ce poulet aux citrons marinés.

curry de pommes de terre, poivrons et courgettes

poulet rôti aux citrons marinés

curry de pommes de terre, poivrons et courgettes

500 g de pommes de terre nouvelles coupées en deux
3 c. à soupe d'huile d'olive
2 oignons rouges coupés en deux puis en huit
2 gousses d'ail pilées
1 c. à soupe de curry en poudre
1 c. à soupe de gingembre frais râpé
1 c. à soupe de graines de fenouil pilées
3 piments rouges épépinés et émincés
400 ml de lait de coco
1 poivron rouge coupé en lanières larges
5 feuilles de citronnier kaffir
500 g de petites courgettes en tranches
4 c. à soupe de jus de citron vert
2 c. à café de nuoc-mâm
3 poignées de coriandre ciselée

Mettez les pommes de terre dans une casserole et couvrez-les d'eau froide. Portez à ébullition, couvrez et retirez la casserole du feu. Faites chauffer l'huile dans une sauteuse pour y faire revenir l'oignon, l'ail, le curry, le gingembre, les graines de fenouil et les piments. Quand l'oignon est tendre et que le mélange embaume, versez le lait de coco en remuant sans cesse puis ajoutez le poivron, les feuilles de kaffir et les pommes de terre égouttées. Couvrez et laissez frémir 15 minutes. Mettez alors les courgettes dans la sauteuse et prolongez la cuisson de 5 minutes. Au moment de servir, ajoutez le jus de citron, le nuoc-mâm et la coriandre. Pour 4 personnes.

poulet rôti aux citrons marinés

1 poulet de 1,8 kg
1 citron coupé en deux
1 oignon coupé en quatre
2 noix de beurre
1 citron mariné coupé en petits morceaux
1 poignée de cresson

Préchauffez le four à 200 °C. Mettez le poulet dans un plat allant au four et farcissez-le avec le citron et les quartiers d'oignon. Décollez légèrement la peau sur les filets et glissez le beurre sur la chair en l'étalant bien. Répartissez le citron mariné autour du poulet, salez et poivrez. Faites cuire 1 h 15

au four. Pour vérifier si le poulet est cuit, piquez la chair avec la pointe d'un couteau ; le jus qui s'en écoule doit être transparent. Laissez-le reposer 15 minutes hors du four avant de le découper. Présentez les morceaux sur un plat de service et nappez-les de jus de cuisson. Servez avec une purée de pommes de terre (p. 305). Pour 4 personnes.

magrets de canard aux épices

4 magrets de canard avec la peau
2 c. à soupe de sucre roux
1/2 c. à café de poivre du Sichuan
1 étoile d'anis
1 c. à soupe de sel
125 ml de vin cuit
4 champignons shiitake déshydratés
2 jeunes poireaux coupés en tronçons de 5 cm
400 g de potiron épluché et coupé en cubes
2 c. à soupe d'huile d'olive

Préchauffez le four à 180 °C. Entaillez en losanges la peau des magrets. Pilez dans un mortier le sucre, le poivre, l'étoile d'anis et le sel pour obtenir une poudre fine et frottez-en généreusement la peau des magrets. Mettez le vin cuit dans un récipient en verre, ajoutez les magrets et laissez-les mariner 1 heure au moins au réfrigérateur.

Faites tremper les champignons 30 minutes dans 500 ml d'eau bouillante puis sortez-les de l'eau, jetez les pieds et émincez les chapeaux. Passez leur eau de trempage dans un tamis fin et versez-la dans un plat allant au four. Ajoutez les champignons, les poireaux et le potiron, salez et poivrez. Couvrez d'une feuille d'aluminium et faites rôtir les légumes au four pendant 30 minutes. Quand ils sont cuits, sortez-les du four et réservez-les au chaud. Montez le thermostat à 200 °C.

Faites chauffer une poêle antiadhésive à feu vif et saisissez les magrets sur la peau, jusqu'à ce qu'elle se colore. Transférez alors les magrets dans un plat à rôtir et terminez la cuisson au four pendant 15 minutes, après les avoir badigeonnés de marinade. La peau doit être croustillante et dorée ; au besoin, passez les magrets 1 minute sous le gril du four pour obtenir ce résultat. Répartissez les légumes dans quatre assiettes chaudes et disposez dessus les magrets coupés en tranches fines. Pour 4 personnes.

C'est quand elle est dorée et croustillante que la peau du canard déploie tous ses arômes. Pour une soirée, oubliez toutes vos bonnes résolutions et laissez-vous aller à la gourmandise…

magrets de canard aux épices

purée au safran et légumes rôtis

8 mini-betteraves
300 g de champignons frais mélangés
3 c. à soupe d'huile d'olive
2 gousses d'ail hachées finement
8 branches de thym frais
1 kg de pommes de terre pelées et coupées en morceaux
125 ml de lait
15 filaments de safran
100 g de beurre

Préchauffez le four à 200 °C. Mettez les betteraves dans un plat à rôtir avec 125 ml d'eau. Couvrez d'une feuille d'aluminium et faites-les cuire 1 heure au four. Sortez-les du four et mettez à la place, dans un autre plat, les champignons mélangés avec l'huile d'olive, l'ail et le thym. Couvrez et laissez-les cuire 30 minutes. Pendant ce temps, épluchez les betteraves et coupez-les en quatre. Vous les remettrez dans le plat avec les champignons quelques minutes avant de servir pour les réchauffer au four.

Pendant que les champignons cuisent, préparez la purée. Faites cuire les pommes de terre dans de l'eau salée. Faites chauffer séparément le lait, le safran et le beurre. Quand les pommes de terre sont cuites, réduisez-les en purée en incorporant progressivement le lait chaud au safran. Salez et poivrez. Répartissez la purée sur des assiettes chaudes et garnissez de légumes rôtis. Pour 4 personnes.

bœuf au poivre
et purée de potiron

1,5 kg de filet de bœuf ou de rosbif sans barde
2 c. s. de poivre noir fraîchement concassé
de la purée de potiron (p. 305) à la ciboulette pour accompagner

Frottez de poivre le filet de bœuf et mettez-le dans un plat puis laissez-le une nuit entière au réfrigérateur. Le lendemain, sorte-le 30 minutes avant de le faire cuire. Préchauffez le four à 200 °C. Faites cuire le filet de bœuf 10 minutes puis retournez-le et laissez-le cuire 5 minutes sur l'autre face. Sortez-le du four et couvrez-le. Laissez-le reposer 15 minutes.

Remettez la viande au four pendant 15 minutes environ puis découpez-la en tranches. Accompagnez de purée au potiron. Pour 6 personnes.

riz sauté aux tomates
et aux épinards

1 noix de beurre
500 g d'épinards lavées, égouttés et hachés grossièrement
400 g de riz basmati
3 c. à soupe d'huile d'olive
1/2 c. à café de curcuma moulu
1 c. à café de cumin moulu
1 oignon rouge émincé
2 tomates bien mûres coupées en petits dés
750 ml de bouillon de légumes

Faites fondre le beurre à feu moyen dans une poêle pour y faire sauter rapidement les épinards.

Rincez le riz à l'eau froide. Faites chauffer l'huile dans une casserole et faites-y revenir les épices et l'oignon pendant 6 minutes environ. Ajoutez le riz et remuez sur le feu 1 minute avant d'incorporer les épinards parfaitement égouttés et les tomates. Versez le bouillon, portez à ébullition puis couvrez et laissez frémir 25 minutes environ. Servez le riz avec du yaourt nature, du poisson grillé et des quartiers de citron. Pour 6 personnes.

risonis aux fruits de mer

200 g de risonis
2 noix de beurre
environ 12 filaments de safran
2 gousses d'ail finement hachées
400 g de tomates coupées en petits dés
500 ml de vin blanc
12 crevettes décortiquées
16 grosses moules nettoyées
2 c. à soupe de zeste de citron râpé
1 poignée de persil plat

Portez à ébullition une grande quantité d'eau salée pour y faire cuire les risonis. Égouttez-les et gardez-les au chaud. Mélangez le beurre, le safran et l'ail dans une cocotte puis laissez chauffer jusqu'à ce que le beurre commence à mousser. Ajoutez alors les tomates et le vin blanc. Laissez frémir 2 minutes puis mettez les risonis dans la cocotte avec les crevettes et les moules. Couvrez et laissez mijoter quelques minutes pour que les moules soient bien ouvertes. Répartissez le mélange dans des bols et garnissez de zeste de citron et de persil. Pour 4 personnes.

tajine de poisson

thon aux feuilles de kaffir

tajine de poisson

4 c. à soupe d'huile d'olive
1 oignon rouge haché grossièrement
10 filaments de safran
1 c. à café de cumin moulu
750 g de pommes de terre épluchées et coupées en morceaux
2 branches de céleri en tranches fines
400 g de tomates concassées en boîte
1 bâton de cannelle
600 g de filets de cabillaud coupés en cubes de 4 cm
1 poignée de persil plat
2 c. à soupe de zeste de citron finement râpé

Faites chauffer l'huile à feu moyen dans une cocotte pour y faire revenir l'oignon, le safran et le cumin. Quand l'oignon est presque caramélisé, ajoutez les pommes de terre, le céleri, les tomates avec leur jus, la cannelle et 250 ml d'eau. Portez à ébullition puis réduisez le feu, couvrez et laissez frémir 10 minutes. Quand les pommes de terre sont tendres, ajoutez les morceaux de poisson. Salez et poivrez. Laissez cuire encore 10 minutes à feu doux. Retirez la cocotte du feu pour ajouter le persil et le zeste de citron. Pour 4 personnes.

thon aux feuilles de kaffir

600 g de filet de thon en un morceau
2 c. à soupe de grains de poivre rose
15 feuilles de citronnier kaffir
250 ml d'huile d'olive
de la mayonnaise au citron vert
des pommes de terre vapeur
des quartiers de citron vert

Préchauffez le four à 120 °C. Nettoyez le filet de thon en ôtant la chair sombre. S'il est particulièrement épais, coupez-le en deux. Mettez-le dans un plat allant au four ou une petite cocotte. Assaisonnez avec du sel, le poivre rose et les feuilles de kaffir. Arrosez avec de l'huile d'olive pour que le poisson en soit nappé. Couvrez avec un couvercle ou du papier d'aluminium. Faites cuire le thon 45 minutes au four. Quand il est prêt, sortez-le de la cocotte et servez-le en tranches épaisses, accompagné de pommes de terre vapeur, de mayonnaise au citron vert et de quartiers de citron vert. Pour 4 personnes.

porc épicé au choy sum

2 c. à soupe de sauce de soja
2 c. à soupe de mirin
1 c. à soupe d'huile de sésame
2 gousses d'ail finement hachées
1 c. à soupe de sucre roux
1 c. à café de cinq-épices
4 étoiles d'anis
2 petits filets mignons de porc de 300 g chacun
1,5 kg de choy sum lavé et égoutté
du riz cuit à la vapeur pour accompagner

Mélangez dans un récipient la sauce de soja, le mirin, l'huile de sésame, l'ail, le sucre, le cinq-épices et l'anis étoilé Mélangez puis ajoutez les filets de porc. Retournez-les en tous sens dans cette marinade avant de les laisser reposer toute une nuit au réfrigérateur.

Préchauffez le four à 180 °C. Égouttez la viande et faites-la dorer de toutes parts dans une poêle antiadhésive puis mettez-la dans un plat à rôtir et terminez la cuisson au four pendant 10 minutes. Versez la marinade dans la poêle encore chaude, mouillez avec 125 ml d'eau, portez à ébullition puis laissez frémir 3 minutes pour que la sauce épaississe.

Faites cuire les feuilles de choy sum à la vapeur ou dans une poêle légèrement beurrée. Sortez la viande du four et laissez-la reposer quelques minutes avant de la découper. Servez-la en tranches fines avec la sauce aux épices, le choy sum et le riz. Pour 4 personnes.

Parfumez un filet de porc avec un mélange de gingembre, d'anis étoilé et de cinq-épices. Ces saveurs venues d'Asie séduiront à coup sûr vos convives.

porc épicé au choy sum

agneau rôti à la marocaine

moules au piment

agneau rôti à la marocaine

125 ml de jus de citron
3 c. à soupe d'huile d'olive
1 c. à café de cannelle moulue
3 gousses d'ail émincées
1 c. à café de cumin moulu
le zeste d'1 orange finement râpé
2 filets d'agneau d'environ 300 g chacun
1 poignée de persil plat
20 feuilles de menthe grossièrement ciselées
20 feuilles d'origan
4 tomates bien mûres coupées en petits dés
du couscous pour accompagner

Mélangez le jus de citron, l'huile d'olive, la cannelle, l'ail, le cumin et le zeste d'orange dans un saladier. Ajoutez les filets d'agneau en les retournant plusieurs fois dans cette marinade puis mettez-les toute une nuit au frais.

Retirez la viande de la marinade et faites-la dorer à feu vif dans une poêle antiadhésive, environ 5 minutes de chaque côté. Retirez-la ensuite de la poêle et mettez-la dans un plat chaud, couvrez d'une feuille d'aluminium et laissez-la reposer quelques minutes.

Mélangez les herbes fraîches et les tomates dans un petit saladier. Remuez puis répartissez cette salade sur les assiettes de service. Ajoutez la viande détaillée en tranches et servez avec du couscous chaud. Pour 4 personnes.

moules au piment

2 kg de moules
3 c. à soupe d'huile d'olive
1 c. à soupe de piments séchés finement pilés
3 gousses d'ail émincées
15 filaments de safran
1 kg de tomates pelées en boîte
3 c. à soupe de concentré de tomate
185 ml de vin blanc sec
1 poignée de persil plat

Grattez les moules et retirez les barbes. Jetez celles qui restent ouvertes quand vous les pressez entre vos doigts.

Faites chauffer l'huile à feu moyen dans un faitout puis faites-y revenir le piment, l'ail et le safran 1 minute. Ajoutez les tomates avec leur jus et remuez avec une cuillère en bois

pour les réduire en purée. Incorporez ensuite le concentré de tomate et laissez cuire 10 minutes à feu moyen. Portez à ébullition et ajoutez les moules. Laissez-les cuire 3 minutes environ en agitant régulièrement le faitout pour les faire ouvrir (jetez celles qui sont restées fermées).

Répartissez les moules dans quatre grands bols. Remettez le faitout sur le feu, versez le vin et laissez frémir 3 minutes avant de verser cette sauce très chaude sur les moules. Décorez de persil frais et servez avec du pain de campagne. Pour 4 personnes.

steaks grillés et salsa aux oignons

2 oignons rouges coupés en quartiers
2 tomates bien mûres
2 poignées de persil plat
10 feuilles d'origan
1 c. à soupe de vinaigre balsamique
3 c. à soupe d'huile d'olive
4 steaks de bœuf de 175 g chacun

Pour la salsa aux oignons, faites griller les quartiers d'oignon sur une plaque en fonte préchauffée ou au barbecue. Quand ils sont bien dorés, réservez-les au chaud. Faites cuire à la place les tomates en les retournant régulièrement. Détaillez les quartiers d'oignon en tranches fines et mettez-les dans un saladier. Ajoutez les tomates coupées grossièrement puis le persil, l'origan, le vinaigre et l'huile. Salez et poivrez. Mélangez à peine.

Faites griller les steaks, 2 minutes de chaque côté pour une viande saignante. Servez-les avec la salsa aux oignons. Pour 4 personnes.

steaks grillés et salsa aux oignons

les desserts

Ils font le bonheur des gourmands et terminent
en beauté un repas. Une salade de fruits frais
ou une compote apporteront une note rafraîchissante
à un dîner de fête. Mais pour les inconditionnels,
il y aura toujours des crèmes ou des glaces, des
tartes ou des meringues accommodées avec art...

pour débuter

les fruits pochés ou au sirop

les fruits rouges

la crème anglaise et les crèmes glacées

les meringues et les puddings

les soufflés

savoir cuisiner les desserts

ou préparer des douceurs sucrées

les fruits pochés

1 Mélangez dans une casserole 350 g de sucre en poudre, 1 litre d'eau, 1 gousse de vanille fendue en deux et 2 zestes de citron. Portez à ébullition en remuant sans cesse pour faire dissoudre le sure puis retirez la casserole du feu.

2 Pelez 4 poires et retirez les cœurs par la base (gardez les queues) avec la pointe d'un couteau.

3 Coupez un disque de papier sulfurisé d'un diamètre légèrement supérieur à celui de la casserole. Mettez les poires debout dans le sirop, couvrez avec le papier sulfurisé en perçant de petits orifices pour laisser dépasser les queues et en pressant légèrement le papier sur les fruits. Mettez un couvercle sur la casserole et laissez cuire 1 h 30 à feu très doux. Retirez la casserole du feu et laissez les fruits refroidir dans le sirop.

conseils et astuces

- Vous pouvez faire réduire le jus de cuisson des fruits en un sirop épais : retirez les fruits de la casserole et laissez le liquide frémir au moins 30 minutes. Laissez le zeste de citron dans le sirop pour qu'il devienne presque confit ; vous le détaillerez en fines lanières pour décorer les fruits pochés.

- Vous pouvez préparer cette recette en utilisant 750 ml d'eau et 250 ml de vin blanc moelleux ou de vin rouge.

- Pour les fruits à noyaux, procédez comme indiqué à l'étape 1. Mettez ensuite les fruits entiers (pelée) dans le sirop, couvrez-les de papier sulfurisé et laissez frémir 5 minutes. Testez leur degré de cuisson avec la pointe d'un couteau et retirez-les de la casserole dès qu'ils sont tendres. Faites ensuite réduire le jus de cuisson à la consistance d'un sirop épais.

les fruits rouges

Dès les premiers beaux jours, ils font leur apparition sur nos marchés et nous séduisent avec leurs couleurs et leurs parfums. Fraises, framboises, mûres, cassis, myrtilles règnent sur l'été. Quoi de plus attrayant qu'un grand saladier de fraises. On y pioche à volonté et on se rend compte brusquement qu'il ne reste plus rien… Acheter des framboises et garder la barquette intacte jusqu'à la maison est un véritable supplice pour les gourmands de tous âges. Quant aux cerises, leur saison est si courte qu'on va tenter d'en profiter au maximum. En bref, les fruits rouges se mangent sans compter, et crus de préférence. C'est du moins l'avis des amateurs inconditionnels. Mais si la récolte est bonne ou que vous préférez les recettes plus sophistiquées, il y a de nombreuses manières de cuisiner les fruits rouges sans rien leur faire perdre de leur saveur.

des fruits délicats

Les fruits rouges sont beaucoup plus fragiles que la plupart des autres fruits. Pour qu'ils restent entiers et savoureux, il y a quelques règles simples à respecter au moment de l'achat et pour les préparer.

- Quand vous les achetez, vérifiez que dans l'ensemble ils ne présentent pas de signe de meurtrissure ou de moisissure. Dans le lot, il y aura toujours quelques fraises un peu écrasées mais cela ne doit pas être la règle. Achetez de préférence les fraises et les framboises en barquettes : elles s'abîmeront moins pendant le voyage. Sur les marchés, n'hésitez pas à goûter les fruits car certains peuvent avoir une belle apparence mais se révéler en fait fades ou à peine mûrs.

- Pour préparer les fruits, commencez par les trier en jetant tous ceux qui présentent des signes de moisissure. Si vous en avez acheté une grande quantité et que certains ont un peu souffert pendant le transport, réservez-les pour des coulis, des sauces, ou pour les faire cuire. Gardez les plus beaux pour les manger crus. Si vous devez les laver, faites-le juste avant de les servir. Mettez les fraises dans une passoire et rincez-les sous un petit filet d'eau froide puis tamponnez-les délicatement avec du papier absorbant. Pour les framboises, contentez-vous de les essuyer délicatement avec du papier absorbant. En revanche, les cerises, les cassis ou les myrtilles supportent mieux d'être passés sous l'eau (au dernier moment). Inutile de retirer les queues si vous servez ces fruits nature.

- Sortez les fruits à température ambiante au moins 30 minutes avant de les consommer. Certaines personnes mangent les fruits sans sucre ni crème : il vaut mieux donc éviter de les accommoder à l'avance. Vous proposerez à part du sucre et de la crème fouettée pour les amateurs et chacun se servira à sa guise. Si vous optez pour une salade de fruits, préparez les fraises 30 minutes environ à l'avance mais ajouter les framboises au dernier moment.

- Cueillis au plein cœur de l'été, les fruits rouges se congèlent très bien. Inutile de les faire cuire. Vous les trouverez aussi dans les magasins de produits surgelés. Si vous devez les faire cuire dans un gâteau, ne les faites surtout pas décongeler car ils vont rendre beaucoup d'eau et mouiller la pâte. Ces fruits surgelés sont également parfaits pour préparer des sorbets ou des coulis.

des recettes simples et délicieuses

- Fouettez de la crème fraîche avec du sucre vanillé ou de l'extrait naturel de vanille jusqu'à ce que de petits pics se forment à la surface. Servez avec des fraises nettoyées et coupées en deux puis légèrement saupoudrées de sucre.

- Mélangez différents fruits rouges dans de petits bols, garnissez-les d'amandes effilées légèrement grillées et nappez-les de crème. Vous pouvez également préparer cette recette avec de la crème anglaise froide.

- Coupez des fraises en quatre et mettez-les dans un saladier avec un peu de vinaigre balsamique. Mélangez. Nappez les fraises de mascarpone et versez dessus un filet de miel liquide.

- Préparez une salade de fraises, framboises et melon. Ajoutez un peu de sucre au gingembre et du poivre au moulin puis garnissez de feuilles de menthe ciselées. Servez très frais.

- Mixez des fraises, des pêches blanches en morceaux, du jus d'orange et de la glace pilée pour obtenir une boisson fraîche à déguster sous les arbres par un bel après-midi d'été.

- Remplissez de mascarpone des caissettes en papier, piquez au centre une belle fraise sans la queue que vous aurez d'abord passée dans du sucre en poudre. Nappez de sirop à la cardamome et à l'eau de rose (p. 355).

- Mélangez du sucre roux et des graines de vanille, saupoudrez-en un saladier de myrtilles puis ajoutez 100 ml de cointreau. Mélangez bien. Servez avec de la crème fouettée.

La crème anglaise accompagne
Mais elle sert aussi de base

la crème anglaise

1 Mélangez 250 ml de lait et 250 ml de crème fraîche dans une casserole. Froissez 1 gousse de vanille entre vos doigts pour l'assouplir puis fendez-la en deux dans la longueur avec un couteau fin. Mettez-la dans la casserole. Faites chauffer le mélange à feu moyen jusqu'au point d'ébullition puis retirez la casserole du feu et laissez infuser la vanille.

2 Fouettez vivement 5 jaunes d'œufs avec 4 cuillerées à soupe de sucre en poudre. Versez d'abord un peu de lait chaud sur ce mélange puis ajoutez le reste en une seule fois, en fouettant sans cesse (réservez la gousse de vanille). Rincez la casserole, séchez-la bien puis remettez la crème aux œufs dedans.

3 Faites chauffer la crème à feu moyen en remuant constamment avec une cuillère en bois, jusqu'à ce que le mélange épaississe et nappe la cuillère. Versez alors la crème dans un récipient et grattez la gousse de vanille fendue pour récupérer les graines et les incorporer à la crème. Pour 6 à 8 personnes.

conseils et astuces

● Ne cherchez pas à faire cuire la crème trop vite : le mélange ne doit ni bouillir ni subir une cuisson prolongée.

● Dès que la crème a épaissi, retirez la casserole du feu et versez son contenu dans un autre récipient. Si vous n'utilisez pas la crème aussitôt, posez directement dessus un film alimentaire ou un disque de papier sulfurisé pour éviter la formation d'une peau. Elle peut se garder 3 jours au réfrigérateur.

● Si la crème a commencé à bouillir, versez-la aussitôt dans un récipient et mettez celui-ci dans un récipient plus grand rempli d'eau et de glaçons. Remuez la crème jusqu'à ce qu'elle soit tiède.

gâteaux au chocolat et entremets.
pour préparer des crèmes glacées.

les desserts glacées

glace au chocolat

Mettez dans une casserole 375 ml de lait, 250 ml de crème fraîche et 100 g de chocolat noir râpé. Faites chauffer à feu moyen en remuant, jusqu'au point d'ébullition. Quand le chocolat a fondu, retirez la casserole du feu. Fouettez dans un saladier 4 jaunes d'œufs, 4 cuillerées à soupe de sucre en poudre et 2 cuillerées à soupe de caco en poudre. Ajoutez-y la crème au chocolat chaude, d'abord une petite quantité en fouettant sans cesse, puis le reste, sans cesser de mélanger au fouet. Remettez le tout dans la casserole et faites chauffer à feu moyen, en mélangeant avec une cuillère en bois, jusqu'à ce que la crème épaississe et nappe la cuillère. Laissez refroidir dans un récipient puis mettez la crème dans une glacière en respectant les instructions de l'appareil. Pour 4 personnes.

sorbet au citron

Mettez dans une casserole 225 g de sucre en poudre et 250 ml d'eau. Faites chauffer à feu moyen en remuant pour faire dissoudre le sucre puis retirez la casserole du feu. Incorporez le zeste finement râpé de 2 citrons et le jus de 5 citrons. Quand le mélange est tiède, versez-le dans un récipient et mettez-le 1 heure au réfrigérateur. Transférez-le ensuite dans une sorbetière en respectant les instructions de l'appareil. Battez 1 blanc d'œuf en neige ferme. Quand la sorbetière a tourné environ 30 minutes, incorporez le blanc en neige. Laissez la sorbetière en marche jusqu'à ce que la glace soit ferme. Mettez alors le sorbet au congélateur. Pour 4 personnes.

granité au café

Faites chauffer à feu vif dans une casserole 115 g de sucre et 125 ml d'eau dans une casserole. Remuez pour faire dissoudre le sucre puis retirez la casserole du feu. Ajoutez 1 cuillerée à café de zeste de citron râpé, le jus d'1 citron et 500 ml de café fort. Couvrez et laissez 1 heure au réfrigérateur. Versez ce mélange dans un moule en métal peu profond et mettez-le au congélateur. Une heure plus tard, quand il a commencé à glacer, remuez-le avec une fourchette en travaillant des bords vers le centre puis remettez-le au congélateur. Répétez l'opération 3 fois avant de servir. Si vous préparez ce granité à l'avance, retirez-le du congélateur 1 heure avant de servir, remuez-le puis recongelez-le 30 minutes. Pour 4 personnes.

glace à la vanille

Mélangez dans une casserole 375 ml de lait et 250 ml de crème fraîche. Ouvrez 2 gousses de vanille, grattez les graines pour les mettre dans la casserole puis ajoutez les gousses. Faites chauffer le mélange à feu moyen jusqu'au point d'ébullition puis retirez la casserole du feu. Fouettez dans un récipient 5 jaunes d'œufs et 125 g de sucre en poudre, ajoutez d'abord une partie de la crème à la vanille chaude puis versez le reste en une seule fois sans cesser de fouetter. Remettez le mélange dans la casserole et faites-le cuire à feu moyen en remuant constamment avec une cuillère en bois, jusqu'à ce que la crème épaississe et nappe la cuillère. Retirez les gousses de vanille, laissez refroidir la crème puis mettez-la dans une glacière pour la faire prendre en glace ferme, en respectant les instructions de l'appareil. Pour 4 personnes.

Au cœur de l'été, servez de pleines coupes de figues mûres ou de mangues en quartiers, des saladiers de cerises ou de fruits rouges, de larges tranches d'ananas parfumées à souhait…

les desserts aux fruits

Avant d'envisager des préparations compliquées, songez que vous pouvez servir les fruits crus, dans de larges coupes ou avec un plateau de fromage. En été, si vous n'avez pas trop envie de cuisiner, pensez aussi aux salades de fruits, simples et rafraîchissantes, préparées avec des produits gorgés de soleil : des tranches de pêches nappées d'un peu de miel, des figues et des prunes avec un peu de sucre pour faire du jus ou encore des mélanges plus complexes que vous parfumerez avec des épices.

Si vous disposez d'un peu de temps, pensez aux sorbets ou aux granités pour terminer un repas. Les sorbets ne demandent pas beaucoup de préparation et sont généralement très bien accueillis. Pour les granités, préparez-les au maximum 3 heures à l'avance pour qu'ils gardent la consistance de la glace pilée.

Si vous avez un grand congélateur, préparez plusieurs glaces ou sorbets différents ainsi que des coulis de fruits que vous pourrez utiliser en hiver pour napper du fromage blanc ou accompagner un gâteau.

des sirops sucrés

Simples à préparer, ces sirops peuvent aromatiser un cocktail ou une salade de fruits. Ils se gardent plusieurs semaines au réfrigérateur, dans une bouteille en verre bien fermée.

- Pour préparer un sirop à la cardamome et à l'eau de rose, mettez dans une casserole 115 g de sucre en poudre, 1 cuillerée à café de jus de citron, 5 gousses de cardamome grossièrement écrasées et 250 ml d'eau. Portez à ébullition en remuant sans cesse pour faire dissoudre le sucre puis laissez frémir 5 minutes. Retirez la casserole du feu et laissez infuser le mélange. Quand le mélange a refroidi, ajoutez 1/2 cuillerée à café d'eau de rose et versez le sirop dans une bouteille. Fermez et réservez au réfrigérateur. Servez ce sirop avec des figues fraîches, une compote de cerises ou pour napper une glace au chocolat.

- Pour un sirop à la citronnelle et aux fruits de la passion, mettez dans une casserole 225 g de sucre, 2 blancs de citronnelle écrasés et 250 ml d'eau. Portez à ébullition en remuant sans cesse puis laissez frémir 10 minutes pour faire réduire le liquide de moitié. Ajoutez 125 g de pulpe de fruits de la passion et remuez sur le feu encore 1 minute.

Laissez refroidir puis retirez les blancs de citronnelle. Versez le sirop dans une bouteille. Fermez et réservez au réfrigérateur. Utilisez ce sirop pour parfumer une salade de fruits exotiques ou un sorbet.

des desserts express

- Servez de fines tranches d'ananas très fraîches disposées en rosace sur des assiettes à dessert et parsemées de menthe ciselée. Posez au centre une boule de sorbet au citron vert ou à la mangue.

- Coupez en deux une banane dans la longueur et garnissez le dessus de petites boules de glace à la vanille. Nappez de sirop à la citronnelle et aux fruits de la passion (ou d'une sauce au chocolat).

- Un des grands classiques de l'été : coupez des pêches blanches et des nectarines en quartiers fins, ajoutez quelques tranches de banane, de la pulpe de fruits de la passion et un peu de jus d'orange. Servez avec une glace à la vanille.

- Mélangez de fines tranches de pêches ou de nectarines, des morceaux de melon et de pastèque, des framboises fraîches et un peu de jus de citron vert. Servez avec un sorbet de citron vert.

- Mélangez dans un saladier des dés de mangue, des fraises coupées en tranches, des myrtilles et des feuilles de menthe fraîche.

- Faites mariner des quartiers de pêche blanche dans du sauternes avec 2 clous de girofle. Servez avec de la crème fouettée ou du mascarpone.

- Au début de l'automne, servez des pommes en tranches fines et du raisin avec des copeaux de comté et du pain frais. Accompagnez de noix.

- Pour une salade d'hiver, pelez à vif des oranges et des pamplemousses et prélevez les quartiers au-dessus d'un saladier pour garder le jus. Mettez aussi les quartiers de fruits dans le saladier avec des bananes coupées en tranches, une pomme rouge coupée en tranches, quelques grains de raisin sans la peau, le jus d'1 citron et du sucre roux à la vanille. Servez avec de la glace à la vanille ou du yaourt à la grecque.

- Coupez en tranches fines des figues bien mûres et mélangez-les avec le zeste et le jus d'1 orange, 1/4 de cuillerée à café de cannelle moulue, 1 cuillerée à soupe d'eau de rose et assez d'eau pour couvrir les fruits. Laissez mariner toute une nuit au frais. Égouttez les figues et servez-les avec une glace ou du yaourt au miel.

Les meringues ont un parfum fouettée et de fruits frais,

les meringues

1 Préchauffez le four à 150 °C. Cassez 3 œufs frais et séparez les blancs des jaunes. Réservez les jaunes pour un autre emploi. Tapissez de papier sulfurisé une plaque de cuisson.

2 Mettez les blancs d'œufs dans une casserole avec 175 g de sucre en poudre. Laissez chauffer le mélange à feu doux pour faire dissoudre le sucre puis retirez la casserole du feu. Battez les blancs en neige ferme avec un batteur électrique. Cette opération doit vous prendre entre 10 et 12 minutes. Incorporez 1/2 de cuillerée à café d'extrait naturel de vanille et fouettez à nouveau les blancs pendant 1 minute.

3 Formez des meringues sur la plaque de cuisson et faites-les cuire 45 minutes au four. Éteignez le four et laissez refroidir les meringues à l'intérieur en gardant la porte entrouverte. Conservez-les dans un récipient hermétique. Pour 6 meringues.

conseils et astuces

- Utilisez les jaunes d'œufs pour une mayonnaise ou une crème anglaise.

- Servez les meringues avec de la crème fouettée et des fruits frais, concassez-les grossièrement pour les mélanger avec une glace à la vanille, aromatisez-les avec du café pour apporter une note sucrée en fin de repas…

- La pavlova est une grosse meringue moelleuse garnie de fruits et de crème. Préchauffez le four à 180 °C. Tapissez de papier sulfurisé une plaque de cuisson et dessinez dessus un disque de 30 cm de diamètre. Battez en neige 4 blancs d'œufs et 1 pincée de sel. Versez ensuite petit à petit, sans cesser de fouetter, 250 g de sucre glace puis 1 cuillerée à soupe de Maïzena et enfin 1 cuillerée à café de vinaigre de vin blanc. Étalez les blancs en neige sur la feuille de papier sulfurisé, sans dépasser les bords du cercle et en formant un dôme. Creusez légèrement le dessus puis faites cuire la meringue au four pendant 5 minutes avant de réduire le thermostat à 150 °C. Laissez cuire encore 1 heure puis éteignez le four et laissez la meringue refroidir à l'intérieur en gardant la porte entrouverte. Garnissez-la de crème fouettée et de fruits mélangés.

d'enfance. Servies nature ou garnies de crème elles sont irrésistibles.

crèmes au four

délice au citron

Préchauffez le four à 180 °C. Beurrez un moule rond. Râpez finement le zeste de 2 citrons et prélevez le jus des fruits. Cassez 3 œufs en séparant les blancs des jaunes. Fouettez 70 g de beurre doux ramolli, 175 g de sucre en poudre et le zeste de citron. Ajoutez les jaunes d'œufs en fouettant toujours puis, en procédant en plusieurs fois, 3 cuillerées à soupe de farine et 185 ml de lait. Terminez par le jus de citron et remuez bien. Dans un autre récipient, montez les blancs d'œufs en neige ferme avant de les mélanger délicatement à la préparation au citron. Versez le tout dans le moule, mettez ce dernier dans un grand plat rempli d'eau jusqu'à mi-hauteur et faites cuire la crème au four pendant 1 heure. Pour 8 personnes.

moelleux aux dattes

Préchauffez le four à 180 °C. Beurrez 4 ramequins. Mettez 150 g de dattes dénoyautées et hachées finement dans un bol avec 1 1/2 cuillerée à soupe de bicarbonate de soude et 150 ml d'eau bouillante. Laissez reposer 10 minutes. Fouettez 2 1/2 cuillerées à soupe de beurre doux ramolli et 125 g de sucre roux pour obtenir un mélange mousseux puis ajoutez-y 2 œufs, sans cesser de battre. Incorporez 1 cuillerée à café d'extrait naturel de vanille et 1 cuillerée à café de gingembre confit haché très finement, puis 125 g de farine. Mélangez bien pour obtenir une pâte homogène avant d'ajouter les dattes avec leur eau de trempage. Répartissez la pâte dans les ramequins, mettez ces derniers dans un plat à rôtir, versez de l'eau jusqu'à mi-hauteur et faites cuire 20 à 25 minutes au four. Servez avec une sauce au whisky (p. 363) et de la crème fouettée. Pour 4 personnes.

pain perdu à la cannelle

Préchauffez le four à 180 °C. Beurrez légèrement un plat
à gratin. Retirez la croûte de plusieurs tranches de pain
brioché (450 g en tout) puis coupez chaque tranche en deux
triangles. Disposez les tranches dans le plat et saupoudrez-
les avec 1 cuillerée à café de cannelle moulue. Battez dans
un récipient 3 œufs, 3 cuillerées à soupe de sucre en poudre
et 500 ml de crème fraîche. Versez ce mélange sur le pain
brioché et nappez de sirop d'érable. Faites cuire 25 minutes
au four. Servez tiède avec des fruits rouges ou une compote
de pomme à la cannelle. Pour 6 personnes.

puddings au chocolat

Préchauffez le four à 180 °C. Beurrez légèrement six
ramequins. Mélangez dans un récipient 4 cuillerées à soupe
de cacao, 90 g de sucre en poudre et 300 ml d'eau
bouillante. Fouettez 150 g de sucre en poudre et 2 œufs
dans un autre récipient. Mettez une noix de beurre doux,
100 g de chocolat noir et 125 ml de lait dans une casserole
puis faites fondre le mélange à feu moyen. Ajoutez au
mélange œufs-sucre 125 g de farine à levure incorporée
et 2 cuillerées à soupe de cacao puis ajoutez le chocolat
fondu. Répartissez la pâte obtenue dans les ramequins puis
versez délicatement dessus le mélange de cacao, de sucre
et d'eau bouillante. Mettez les ramequins dans un plat,
versez de l'eau jusqu'à mi-hauteur et faites cuire 30 minutes
au four. Servez avec une crème anglaise. Pour 4 personnes.

Il faut parfois plusieurs tentatives en vaut la peine. Essayez cette

les soufflés

1 Préchauffez le four à 200 °C. Beurrez légèrement six ramequins, saupoudrez l'intérieur avec du sucre en poudre puis retournez-les en le secouant pour éliminer l'excédent. Cassez 7 œufs en séparant les blancs des jaunes. Réservez 2 jaunes pour un autre emploi. Battez les autres avec 115 g de sucre dans un récipient résistant à la chaleur.

2 Mettez le récipient au-dessus d'une casserole d'eau frémissante et faites épaissir le mélange à feu moyen, sans cesser de remuer. Retirez la casserole du feu et plongez la base du récipient dans un saladier rempli d'eau et de glaçons. Mélangez jusqu'à ce que la crème soit froide. Incorporez 4 cuillerées à soupe de pulpe de fruits de la passion. Dans un autre récipient, battez les blancs en neige ferme, ajoutez à la fin 1 cuillerée à soupe de Maïzena et battez encore 1 minute avant d'incorporer en deux fois les blancs en neige aux œufs cuits au bain-marie.

3 Répartissez la préparation dans les ramequins en vous arrêtant à 1 cm du bord. Passez le petit doigt sur le bord du moule pour former une gouttière puis faites cuire les soufflés au four pendant 5 minutes. Baissez le thermostat à 180 °C et laissez-les cuire encore 12 minutes. Saupoudrez-les de sucre glace et servez sans attendre. Pour 6 personnes.

conseils et astuces

- Le four doit être très chaud au moment où vous y glissez les soufflés, sinon ces derniers risquent de ne pas monter. Respectez bien le temps de cuisson car un soufflé mal cuit va s'affaisser très vite.

- Vous pouvez remplacer les fruits de la passion par 3 cuillerées à soupe de Grand-Marnier et le zeste râpé d'1 orange.

pour maîtriser l'art de réussir un soufflé mais le résultat
version aux fruits de la passion, légèrement acidulée.

les desserts cuisinés

Fruits pochés ou rôtis, compotes, gâteaux en tous genres, l'hiver est une saison merveilleuse pour cuisiner les desserts. Certains se dégustent même tout juste sortis du four. Pour les cuisiniers moins expérimentés, il y a des recettes très simples à préparer, qui demandent simplement un peu d'organisation pour que le dessert soit servi chaud.

desserts aux pommes

- Préparez un crumble aux pommes. Mettez dans un moule des pommes vertes épluchées et coupées en petits morceaux. Mélangez du beurre doux ramolli avec 150 g de chapelure pour obtenir un sablage grossier dont vous parsèmerez les pommes. Nappez de sirop d'érable et faites cuire 30 minutes environ dans le four préchauffé à 180 °C. Les pommes doivent être tendres et la chapelure bien dorée. Servez chaud avec de la crème fouettée ou de la glace à la vanille.

- Pour une tarte aux pommes ultra-simple, mélangez dans une casserole 100 g de beurre doux et 115 g de sucre. Ajoutez 1 cuillerée à café de cannelle moulue, 2 pommes vertes grossièrement râpées, 1 cuillerée à café de jus de citron et 2 œufs battus. Versez le mélange dans un fond de tarte et faites cuire 30 minutes au four préchauffé à 180 °C.

- Découpez des disques de 12 cm dans un rouleau de pâte feuilletée. Mélangez dans un récipient des pommes coupées en très fines tranches, un peu de sucre, de la cannelle moulue et du zeste de citron râpé. Garnissez-en les disques de pâtes en disposant les tranches de pomme en cercles concentriques, saupoudrez-les de sucre et faites-les cuire 30 minutes au four préchauffé à 180 °C.

fruits d'été

- Coupez des figues en deux et saupoudrez-les avec un peu de gingembre frais râpé et de la cannelle moulue. Nappez de miel liquide et faites-les rôtir au four pendant 10 minutes. Servez avec des tuiles aux amandes et de la glace à la vanille.

- Coupez des nectarines en deux, saupoudrez-les de sucre et mettez-les dans un plat. Faites-les dorer sous le gril du four. Servez avec de la glace à la pistache.

- Faites pocher des prunes dans du jus d'orange aromatisé avec une gousse de vanille ou un bâton de cannelle. Servez avec de la crème fouettée. Vous pouvez également faire pocher les nectarines dans un sirop préparé avec 115 g de sucre, 250 ml d'eau et de l'anis étoilé ou des gousses de cardamome. Laissez épaissir le sirop avant d'y mettre les fruits.

- Faites pocher des prunes dans du vin rouge sucré jusqu'à ce qu'elles soient tendres. Égouttez-les et servez-les avec du yaourt à la grecque et du miel liquide ou du sirop à la cardamome et à l'eau de rose (p. 355).

- Coupez en deux des pêches, dénoyautez-les puis mettez-les dans un plat à rôtir. Mixez un peu de beurre doux avec du gingembre confit et du sucre brun. Posez une noisette de ce mélange au centre des pêches et faites-les dorer quelques minutes au four. Servez avec de la glace à la vanille.

saveurs inédites

- Mélangez dans un plat des tiges de rhubarbe coupées en tronçons, du sucre brun, du jus d'orange, du zeste d'orange et des graines de vanille. Couvrez et faites cuire 30 minutes au four préchauffé à 180 °C.

- Pelez 4 coings, retirez les pépins, coupez les fruits en tranches fines et mettez-les dans un plat. Ajoutez 250 ml d'eau, 50 g de beurre et 3 cuillerées à soupe de sucre en poudre. Couvrez et faites cuire 3 à 4 heures au four préchauffé à 150 °C. Les coings seront presque caramélisés dans un sirop épais. Vous pouvez ajouter un bâton de cannelle ou une gousse de vanille. Servez avec des brownies au chocolat ou de la glace à la vanille.

- Mélangez le sirop des coings avec du fromage blanc pour accompagner des pommes chaudes ou mettez-le dans de la crème anglaise et servez avec un cake au chocolat.

privés de dessert ?

Après un repas abondant, on peut faire l'impase sur le dessert. Dans ce cas, il y a deux solutions : jouer un assortiment de fruits et de fromage (en y comptant bien sûr des variétés comme le mascarpone ou la ricotta) ou bien servir le café avec quelques douceurs : nougat, marrons glacés, chocolats, fruits confits… Une manière agréable de prolonger la soirée au salon.

le choix du fromage

- Servez de la pâte de coing avec des fromages à pâte persillée : roquefort, fourme d'Ambert, bleu des Causses… Ou avec des fromages de brebis des Pyrénées ou du Pays basque. Et même avec de la ricotta.

- Servez des biscuits aux amandes avec du mascarpone et des pêches. Vous pouvez poivrer légèrement les fruits après les avoir coupés en quartiers.

- Servez un verre de vin moelleux avec des biscuits aux amandes et du mascarpone. Pour déguster, trempez les biscuits dans le vin et garnissez-les d'un peu de mascarpone.

- Présentez un assortiment de figues, poires, pommes et raisins avec des fromages crémeux comme le brie ou le camembert. Ou des pommes acides avec un comté fruité ou un gruyère suisse.

- Saupoudrez de cannelle moulue de fines tranches d'oranges pelées à vif et servez avec du mascarpone.

- Servez en salade des poires et des copeaux de parmesan ou de comté. Accompagnez de noix, d'amandes ou de noisettes.

- Servez en automne des noix fraîches avec différents fromages et un verre de très bon vin rouge.

- Coupez en deux des figues et garnissez-les de fromage de chèvre demi-sec. Faites-les rôtir au four. Vous pouvez verser un filet d'huile d'olive sur le fromage.

- Faites revenir des tranches de pommes dans du beurre puis garnissez-en des tranches de pain. Faites-les griller au four et servez-les avec du comté ou du parmesan.

douceurs sucrées

- Disposez sur des grandes assiettes différents biscuits (tuiles aux amandes ou à l'orange, cookies) et des friandises variées : carrés de chocolat, nougats, fruits confits…

- Pour retomber en enfance, servez de pleins saladiers de bonbons de toutes les formes et de toutes les couleurs. Et ne lésinez pas sur les marshmallows et autres bonbons gélifiés hautement proscrits par tous les adeptes du « bien manger ». Tant qu'à franchir les limites, il vaut mieux que cela en vaille la peine.

- Achetez des pâtisseries orientales, riches en sucre et en miel, et servez-les avec du thé à la menthe fort et sucré.

- Disposez dans des coupes hautes des boules de glace au café ou à la vanille et nappez avec un mélange de café chaud et de whisky… Ou alors terminez par un sorbet à l'alcool : pomme et calvados, vodka et citron vert, tequila et citron vert…

plaisirs sucrés

parfait au chocolat
granité à la framboise
gelée à la rhubarbe
granité pomme-vanille
figues au miel
tartelettes aux pêches et aux myrtilles
meringue de noisettes aux fruits rouges
glace à la pêche blanche
crèmes au chocolat
samosas au chocolat
mousse aux mûres
figues au sauternes et parfait à la crème
feuilletés aux fraises fraîches
pommes au four
diplomate à la rhubarbe
pudding de riz à l'eau de rose
marquise au chocolat
gelée aux prunes et à la cannelle
coings à l'orange
crumble aux fruits d'hiver
mousse au chocolat Jaffa

parfait au chocolat

125 g de sucre en poudre
125 g de chocolat noir en morceaux
4 jaunes d'œufs
300 ml de crème fouettée
1 c. à soupe de liqueur au chocolat
50 g d'amandes effilées légèrement grillées
des framboises fraîches et un coulis de fraise (p. 349) pour servir

Tapissez de papier sulfurisé une terrine en laissant ce dernier dépasser sur les côtés. Mélangez le sucre avec 150 ml d'eau dans une casserole, portez à ébullition en remuant pour faire dissoudre le sucre puis laissez bouillir 3 minutes. Retirez la casserole du feu et ajoutez le chocolat. Mélangez bien pour le faire fondre.

Fouettez les jaunes d'œufs dans un récipient avant de verser dessus en un filet mince le sirop au chocolat, sans cesser de battre. Incorporez enfin la crème fouettée, la liqueur et les amandes grillées. Versez la préparation dans le moule et mettez-la toute une nuit au congélateur.

Pour servir, démoulez le parfait sur un plat de service. Découpez-le en tranches et servez-le avec les framboises et le coulis. Pour 6 personnes.

granité à la framboise

175 g de sucre en poudre
625 ml de thé Earl Grey
250 g de framboises fraîches
le jus d'1 orange
150 g de framboises fraîches en plus pour servir

Faites fondre le sucre dans le thé chaud puis laissez refroidir. Mixez 250 g de framboises avec le jus d'orange. Mélangez ce coulis avec le thé froid et versez le tout dans un moule peu profond en métal. Couvrez et congelez 2 heures.

Quand le mélange commence à glacer, retirez-le du congélateur et fouettez-le avec une fourchette en travaillant des bords vers le centre. Répétez l'opération au moins deux fois, toutes les 40 minutes, pour obtenir une texture légère, proche de la glace pilée. Si vous préparez le granité la veille pour le lendemain, sortez-le du congélateur 30 minutes avant de servir et mélangez-le à la fourchette dès qu'il commence à fondre un peu avant de le remettre quelques minutes au congélateur. Servez dans de grands verres, avec les framboises fraîches restantes.
Pour 6 personnes.

gelée à la rhubarbe

1 kg de rhubarbe
350 g de sucre en poudre
le zeste râpé et le jus d'1 orange
1 c. à café de cannelle moulue
300 ml de jus d'orange
8 feuilles de gélatine

Préchauffez le four à 180 °C. Pelez les tiges de rhubarbe et coupez-les en tronçons de 3 cm. Mettez-les dans un moule en céramique, ajoutez le sucre, le zeste et le jus d'orange, la cannelle et 500 ml d'eau. Faites cuire 1 heure au four. Égouttez les morceaux de rhubarbe en recueillant le jus de cuisson dans un bol mesureur. Ajoutez du jus d'orange en quantité suffisante pour obtenir 900 ml de liquide.

Faites tremper les feuilles de gélatine dans de l'eau froide pour les assouplir. Graissez légèrement un récipient en verre. Enlevez l'excédent d'huile avec du papier absorbant. Versez 250 ml de jus de cuisson de la rhubarbe dans une casserole, portez à ébullition puis laissez tiédir hors du feu. Égouttez bien les feuilles de gélatine et mettez-les dans la casserole. Remuez jusqu'à dissolution complète de la gélatine puis ajoutez le reste de liquide. Versez le tout dans le saladier. Laissez prendre 5 heures au réfrigérateur.

Faites tremper la base du moule dans un récipient d'eau chaude, puis démoulez la gelée. Servez-la en boules dans des verres avec de la crème liquide ou de la glace à la vanille. Pour 8 personnes.

granité pomme-vanille aux pamplemousses

4 c. à soupe de sucre en poudre
1 gousse de vanille fendue en deux
1 pomme verte râpée
200 ml de jus de pomme
2 pamplemousses roses

Mélangez le sucre, la gousse de vanille et 170 ml d'eau dans une casserole. Portez à ébullition en remuant. Quand le sucre est complètement dissous, incorporez la pomme et retirez la casserole du feu. Ajoutez le jus de pomme, mélangez puis versez la préparation dans un moule peu profond. Faites prendre 1 heure au réfrigérateur puis remuez à la fourchette. Répétez l'opération une autre fois. Servez avec les pamplemousses pelés à vif et séparés en quartiers. Pour 4 personnes.

figues au miel

tartelettes aux pêches et aux myrtilles

figues au miel

8 figues bien mûres
le jus et le zeste d'1 orange
12 petites feuilles de menthe
1 c. à soupe de miel liquide
200 ml de crème fraîche épaisse
1/2 c. à café de sucre en poudre
1 c. à soupe de noix en poudre

Coupez les figues en tranches et présentez-les sur un plat de service. Mélangez dans un bol le jus d'orange, le zeste détaillé en fines lanières, les feuilles de menthe et le miel. Nappez-en les figues. Fouettez la crème, le sucre et les noix en poudre pour obtenir un mélange épais. Servez avec les figues au miel. Pour 4 personnes.

tartelettes aux pêches et aux myrtilles

60 g de farine de blé
30 g de Maïzena
50 g de sucre roux
1/2 c. à café de gingembre en poudre
1/2 c. à café de levure
3 noix de beurre ramolli
1 jaune d'œuf
150 g de myrtilles
2 c. à soupe de sucre en poudre
2 pêches pelées et coupées en tranches
du sucre glace
de la crème fraîche

Préchauffez le four à 180 °C. Tamisez la farine, la Maïzena, le sucre, le gingembre et la levure dans une jatte. Incorporez le beurre et le jaune d'œuf pour obtenir une pâte lisse. Si le mélange est trop épais, ajoutez quelques gouttes d'eau froide. Abaissez la pâte et découpez-la en quatre disques de 8 cm de diamètre. Posez ces derniers sur une plaque de cuisson tapissée de papier sulfurisé et faites-les dorer au four pendant 12 minutes. Laissez-les refroidir. Faites chauffer une poêle antiadhésive à feu moyen et mettez-y les myrtilles, 2 cuillerées à soupe d'eau et le sucre en poudre. Laissez cuire en remuant pour faire dissoudre le sucre ; les fruits doivent devenir brillants et leur peau va commencer à se fendiller. Posez les fonds de tartelettes sur les assiettes de service, garnissez-les de tranches de pêche, ajoutez les myrtilles et saupoudrez de sucre glace. Servez avec de la crème fraîche. Pour 4 personnes.

meringue de noisettes aux fruits rouges

2 blancs d'œufs
120 g de sucre en poudre
4 c. à soupe de noisettes en poudre
300 ml de crème fleurette
1 c. à café d'extrait naturel de vanille
450 g de fruits rouges (fraises en morceaux, framboises, myrtilles et mûres)

Préchauffez le four à 150 °C. Battez les blancs d'œufs jusqu'à ce qu'ils commencent à former des pics puis incorporez délicatement le sucre sans cesser de battre pour obtenir un mélange ferme. Incorporez les noisettes en poudre. Tapissez de papier sulfurisé deux plaques de cuisson et versez de la pâte à meringue au centre de chaque plaque. Étalez-la avec le dos d'une cuillère pour obtenir deux disques de 20 cm de diamètre. Faites cuire les meringues pendant 40 minutes puis éteignez le four et laissez-y les meringues 30 minutes en gardant la porte du four entrouverte. Fouettez la crème et ajoutez-y l'extrait de vanille. Quand les meringues sont refroidies, posez l'une d'elles sur un plat de service, garnissez-la avec une partie de la crème et la moitié des fruits, en disposant ces derniers de manière à obtenir une surface plate pour accueillir la prochaine couche de meringue. Posez la seconde meringue sur les fruits et décorez-la avec la crème et les fruits restants. Laissez reposer 15 minutes avant de servir. Pour 6 personnes.

Pour finir en beauté, essayez cette superposition de meringue aux noisettes, de crème fouettée et de fruits rouges. Elle séduira grands et petits...

meringues de noisettes aux fruits rouges

glace à la pêche blanche

3 grosses pêches blanches pelées et dénoyautées
3 c. à soupe de cointreau
2 c. à soupe de jus de citron
1 c. à café d'eau de rose
4 à 6 c. à soupe de sucre en poudre
300 ml de crème liquide fouettée
50 g d'amandes effilées grillées

Mélangez le cointreau, le jus de citron, l'eau de rose et le sucre jusqu'à dissolution complète du sucre. Ajoutez les pêches coupées en très petits dés. Incorporez la préparation à la crème puis ajoutez les amandes. Versez le mélange dans un moule rectangulaire et placez-le au congélateur une nuit entière. Pour démouler la glace, plongez brièvement la base du moule dans de l'eau très chaude. Servez la glace en tranches, dans des assiettes givrées. Pour 6 personnes.

crèmes au chocolat

200 g de chocolat noir en morceaux
300 ml de crème fraîche
1/2 c. à café d'extrait naturel de vanille
1 œuf

Mettez le chocolat et la crème dans une casserole et faites chauffer à feu doux en remuant sans cesse. Quand le chocolat est complètement fondu, ajoutez 1 pincée de sel et l'extrait de vanille puis l'œuf battu. Laissez sur le feu en remuant régulièrement pour faire épaissir la crème. Versez-la dans six petits pots et mettez-la au moins 3 heures au frais. Servez avec des tuiles aux amandes. Pour 6 personnes.

samosas au chocolat

1 jaune d'œuf
12 feuilles de pâte à raviolis chinois
125 g de chocolat au lait râpé
70 g de noisettes grillées et concassées
2 bananes bien mûres coupées en tranches
500 ml d'huile végétale pour la friture
du sucre glace
de la crème fraîche épaisse pour accompagner

Battez le jaune d'œuf avec 2 cuillerées à soupe d'eau. Étalez les feuilles de pâte sur le plan de travail et répartissez au centre le chocolat râpé, les noisettes et les tranches de banane. Badigeonnez les bords des feuilles de pâte avec l'œuf battu puis fermez les samosas en triangles. Mettez-les en une seule couche sur un plateau et réservez-les au réfrigérateur jusqu'au moment de les faire cuire.

Faites chauffer l'huile à feu vif dans une sauteuse. Quand elle commence à fumer, plongez-y les samosas et laissez-les frire jusqu'à ce qu'ils soient bien dorés. Égouttez-les sur du papier absorbant avant de les saupoudrer de sucre glace. Procédez en plusieurs tournées. Servez-les chauds avec la crème fraîche. Pour 4 personnes.

mousse aux mûres

300 g de mûres
3 c. à soupe de sucre en poudre
2 c. à soupe de liqueur de framboise (facultatif)
1 c. à café d'eau de fleurs d'oranger
300 ml de crème fouettée

Réduisez les mûres, le sucre, la liqueur de framboise et l'eau de fleurs d'oranger en purée à l'aide d'un mixeur ou d'un robot ménager (si vous n'aimez pas les petites graines des mûres, passez la purée dans une étamine). Incorporez la purée de mûres à la crème fouettée et répartissez la préparation dans quatre coupes glacées. Servez avec des tuiles aux amandes. Pour 6 personnes.

figues au sauternes et parfait à la crème

feuilletés aux fraises fraîches

figues au sauternes et parfait à la crème

12 figues bien mûres coupées en deux
400 ml de sauternes
1 c. à soupe de miel liquide
5 jaunes d'œufs
125 g de sucre en poudre
1 c. à café d'extrait naturel de vanille
500 ml de crème fraîche

Mettez les figues dans un bol et couvrez-les de sauternes. Ajoutez le miel et laissez reposer une nuit entière au réfrigérateur.

Fouettez les jaunes d'œufs, le sucre et l'extrait de vanille dans un récipient avant d'y incorporer la crème fraîche. Transférez la préparation dans un moule à glace tapissé de papier sulfurisé et mettez-la au congélateur pour la faire raffermir. Au moment de servir, découpez le parfait en tranches et accompagnez-le de figues au miel. Pour 6 personnes.

feuilletés aux fraises fraîches

4 c. à soupe d'amandes
1 c. à soupe de pistaches décortiquées
2 c. à soupe de miel liquide
1 c. à soupe de zeste de citron râpé
1 c. à soupe de jus de citron
4 feuilles de pâte filo
2 c. à soupe de beurre doux fondu
1 c. à café de cannelle moulue
du sucre glace
250 g de fraises coupées en deux
du sirop à la cardamome et à l'eau de rose (p. 355)

Préchauffez le four à 180 °C. Pilez les amandes et les pistaches puis mélangez-les dans un récipient avec le miel, le zeste et le jus de citron. Tapissez de papier sulfurisé une plaque de cuisson légèrement huilée. Étalez dessus une feuille de pâte filo, badigeonnez-la de beurre fondu et couvrez avec une autre feuille de pâte. Beurrez également cette feuille avant d'étaler dessus le mélange aux amandes et la cannelle. Couvrez avec les deux feuilles de pâte restantes que vous aurez aussi badigeonnées de beurre. Faites cuire ce feuilletage 15 minutes au four.

Sortez-le du four et saupoudrez-le de sucre glace. Coupez-le en morceaux et présentez-le sur des assiettes à dessert. Ajoutez les fraises et nappez de sirop à la cardamome et à l'eau de rose. Pour 4 personnes.

pommes au four

2 petits panettone d'environ 100 g pièce
ou 1 grand panettone
4 grosses pommes vertes
2 c. à soupe de sucre roux
60 g de beurre
du sucre glace

Préchauffez le four à 180 °C. Tapissez une plaque de cuisson avec du papier sulfurisé. Ôtez le sommet arrondi de chaque panettone et coupez l'un des deux gâteaux en quatre tranches rondes (ou bien découpez quatre tranches dans un gros panettone). Beurrez légèrement ces tranches puis posez-les sur la plaque de cuisson. Retirez le cœur des pommes en veillant à bien enlever toutes les parties dures. Coupez l'autre panettone en tranches et beurrez ces dernières (ou bien coupez quatre autres tranches dans le gros panettone) puis émiettez-les en petits morceaux. Farcissez les pommes avec le gâteau émietté en ajoutant un peu de beurre entre les morceaux. Finissez avec 1 cuillerée à café de sucre et 1 noix de beurre au sommet de chaque pomme. Posez les fruits sur les disques de panettone, et faites-les cuire au four 40 minutes. Servez chaud, saupoudré de sucre glace, avec de la crème épaisse ou de la crème anglaise. Pour 4 personnes.

Pour donner un peu de personnalité à des simples pommes au four, servez-les sur des tranches de panettone beurrées et légèrement grillées.

pommes au four

diplomate à la rhubarbe

500 g de rhubarbe
2 c. à soupe de sucre en poudre
le jus de 2 oranges
90 g de sucre roux
300 ml de crème fouettée

Pelez les tiges de rhubarbe, rincez-les et coupez-les en
tronçons de 2 cm. Mettez-les dans une casserole avec
le sucre en poudre et le jus d'orange. Couvrez et laissez
frémir 15 minutes. Retirez la casserole du feu et laissez
refroidir.

Disposez la moitié de la rhubarbe bien égouttée au fond de
4 coupes à dessert, saupoudrez de sucre roux et nappez
de crème fouettée. Ajoutez le reste de rhubarbe et décorez
avec le reste du sucre roux. Pour 4 personnes.

pudding de riz à l'eau de rose

500 ml de lait
3 c. à soupe de sucre en poudre
2 c. à café de zeste d'orange râpé
70 g de riz à grains courts
125 ml de crème fouettée
1 c. à soupe d'eau de rose
150 g de framboises fraîches
60 g de pistaches grossièrement broyées

Mélangez dans une casserole le lait, le sucre, le zeste
d'orange et 1 pincée de sel. Portez à ébullition puis versez
le riz en pluie. Baissez le feu et laissez frémir 30 minutes en
remuant de temps en temps. Laissez le riz refroidir un peu
avant d'y incorporer la crème et l'eau de rose.

Répartissez le riz tiède dans des bols et garnissez de
framboises fraîches et de pistaches. Pour 4 personnes.

marquise au chocolat

100 g de chocolat noir en morceaux
2 ? c. à soupe de beurre doux ramolli
3 c. à soupe de sucre en poudre
2 c. à soupe de cacao en poudre
2 jaunes d'œufs
1 c. à soupe d'eau de rose
150 ml de crème fraîche
150 g de framboises fraîches
6 nectarines blanches en tranches fines
50 g d'amandes effilées légèrement grillées

Faites fondre le chocolat au bain-marie. Fouettez dans un
autre récipient le beurre et la moitié du sucre puis ajoutez le
cacao. Battez les œufs avec le reste du sucre et versez l'eau
de rose. Fouettez la crème au batteur électrique pour qu'elle
soit très ferme. Mélangez le chocolat fondu et le mélange au
beurre puis incorporez les œufs battus et la crème fouettée.
Versez cette préparation dans un moule et mettez-la au frais
pendant 3 heures. Démoulez la marquise et coupez-la en
tranches. Servez avec les framboises fraîches, les nectarines
et les amandes. Pour 4 personnes.

gelée aux prunes et à la cannelle

6 prunes rouges coupées en quatre
225 g de sucre en poudre
1 bâton de cannelle
1 gousse de vanille fendue en deux
le jus d'1 ou 2 oranges
6 feuilles de gélatine

Mettez les prunes, le sucre, la cannelle, la vanille et 750 ml
d'eau dans une casserole. Portez à ébullition puis laissez
frémir 30 minutes. Passez le sirop dans une étamine. Ajoutez
du jus d'orange pour obtenir 600 ml de liquide.

Faites tremper les feuilles de gélatine 10 à 15 minutes dans
l'eau froide pour les assouplir. Remettez le sirop dans la
casserole et réchauffez-le. Égouttez les feuilles de gélatine
avant de les ajouter au sirop et remuez jusqu'à ce qu'elles
soient complètement dissoutes. Versez le mélange dans
six petits moules cannelés et laissez prendre 3 heures
au réfrigérateur. Pour 6 personnes.

coings à l'orange

crumble aux fruits d'hiver

coings à l'orange

2 gros coings pelés, évidés et coupés en quatre
le jus de 2 oranges
2 c. à soupe de miel
3 c. à soupe de sucre

Préchauffez le four à 180 °C. Tapissez une plaque de cuisson avec du papier sulfurisé et posez-y les quartiers de coing. Arrosez-les de jus d'orange et de miel, saupoudrez-les de sucre et couvrez-les avec une feuille de papier sulfurisé avant de les mettre au four. Faites-les cuire 1 heure puis réduisez la température à 140 °C et prolongez la cuisson de 2 heures jusqu'à ce que les coings soient tendres et qu'ils aient pris une belle couleur rouge rubis. Servez les coings saupoudrés de sucre glace et accompagnés de yaourt à la grecque. Pour 4 personnes.

crumble aux fruits d'hiver

300 g de rhubarbe grossièrement hachée
le jus d'1 orange
6 figues séchées coupées en fines tranches
2 pommes vertes pelées et grossièrement hachées
60 g de sucre en poudre
60 g de farine
95 g de sucre roux
95 g d'amandes en poudre
60 g de beurre

Préchauffez le four à 180 °C. Mélangez la rhubarbe, le jus d'orange, les figues, les pommes et le sucre dans un plat allant au four. Mettez la farine, le sucre et les amandes en poudre dans une jatte puis ajoutez le beurre et incorporez-le aux ingrédients secs. Couvrez les fruits avec cette pâte puis faites-les cuire au four pendant 45 minutes. Servez avec la crème fraîche. Pour 6 personnes.

mousse au chocolat Jaffa

140 g de chocolat amer
4 c. à soupe de Grand-Marnier
4 jaunes d'œufs
4 c. à soupe de cacao
2 c. à café de zeste d'orange râpé
180 ml de crème fouettée
4 oranges

Faites fondre le chocolat et 2 cuillerées à soupe de Grand-Marnier au bain-marie, au-dessus d'une casserole d'eau frémissante. Ajoutez les jaunes d'œufs un à un en mélangeant bien après chaque ajout. Le chocolat durcira peut-être mais il ne tardera pas à fondre de nouveau. Lorsque tous les jaunes d'œufs sont incorporés, retirez le mélange du bain-marie et laissez-le refroidir un instant. Mélangez le cacao, le zeste d'orange râpé et la crème fouettée dans un récipient avant d'incorporer cette préparation au chocolat fondu. Versez le mélange dans un saladier et placez-le plusieurs heures au réfrigérateur. Pelez les oranges à vif puis coupez-les en tranches et mettez-les dans un saladier avec le reste du Grand-Marnier. Répartissez les oranges dans des assiettes à dessert et garnissez-les d'une généreuse cuillerée de mousse. Pour 4 à 6 personnes.

Très forte en chocolat, cette mousse se sert en petites portions, accompagnée de fruits frais pour lui apporter une touche de légèreté...

glossaire

bétel

Poivrier dont les feuilles découpées et particulièrement parfumées sont très appréciées en cuisine. Vous en trouverez dans les épiceries indiennes.

câpres

Bourgeons de la fleur du câprier, arbuste méditerranéen, cueillis avant leur éclosion et conservés dans le vinaigre ou la saumure. Les câpres au sel sont généralement plus petites et plus fermes que celles qui sont confites dans le vinaigre. Rincez-les soigneusement avant l'emploi. Vous en trouverez dans les épiceries fines.

cinq-épices

Mélange parfumé de cannelle, de clous de girofle, d'anis étoilé, de poivre du Sichuan et de fenouil. En poudre.

citronnier kaffir

Originaire d'Afrique du Sud et de l'Asie du Sud Est, ce petit citronnier donne des fruits jaunes à l'écorce ridée. On utilise essentiellement ses feuilles, très aromatiques. Utilisées fraîches ou sèches dans de nombreux plats asiatiques. Vous pouvez les remplacer par des feuilles de citronnier de chez nous, ou du zeste de citron.

citrons marinés

Citrons entiers conservés dans la saumure ou le sel, dont on n'utilise que l'écorce ramollie. Vous en trouverez dans les épiceries fines.

crème de coco

Disponible en conserve, la crème de coco est légèrement plus épaisse que le lait de coco. Si vous n'en trouvez pas, ouvrez plusieurs boîtes de lait de coco et prélevez la crème qui s'est formée à la surface. Versez le lait dans une carafe et laissez-le reposer : la crème se séparera du lait en remontant à la surface.

daïkon

Gros radis blanc piquant ou sucré selon les variétés et les saisons. Il contient une enzyme qui favorise la digestion. On peut le consommer cru, finement râpé, ou cuit, dans un bouillon. Vous le trouverez dans les supermarchés et les épiceries asiatiques. Choisissez-le ferme, légèrement brillant et sans meurtrissures.

dashi

Bouillon de poisson japonais élaboré avec de la bonite et des algues wakame. On en trouve en granules ou en paillettes dans les épiceries exotiques.

eau de fleurs d'oranger

Produit de la distillation des fleurs macérées d'une variété d'oranger, surtout utilisé pour parfumer boissons et gâteaux. Vous en trouverez dans les épiceries fines et les supermarchés.

eau de rose

Extrait de rose obtenu par distillation des pétales dans de l'eau, utilisé en pâtisserie. Vous en trouverez dans les épiceries fines et les grands supermarchés.

enoki

Champignons de saveur subtile, formés de tiges longues et fines surmontées de chapeaux minuscules. Très fragiles, ils ne supportent pas les cuissons prolongées.

farine de riz

Elle est utilisée comme substitut de la farine ou pour enrober, comme la chapelure, les aliments avant de les faire cuire. On la trouve dans les magasins bios.

farine à levure incorporée

Cette préparation est composée de farine de blé et de levure chimique et ne sert qu'à confectionner des gâteaux. Elle est en vente dans les supermarchés sous différentes marques.

feta

Ce fromage ferme était traditionnellement fabriqué avec du lait de brebis, ou un mélange de chèvre et de brebis. Aujourd'hui la feta est souvent élaborée avec du lait de vache. Elle est conservée dans du petit-lait ou marinée dans de l'huile aromatisée au poivre ou au piment ; cette version possède une saveur très agréable et l'huile peut être réutilisée dans l'assaisonnement de salades ou de pâtes.

feuilles de curry

Petites feuilles d'une plante aromatique originaire de l'Inde et du Sri Lanka. Ce sont elles qui donnent aux plats du sud de l'Inde leur saveur caractéristique. Elles sont généralement frites et intégrées aux mets, mais elles peuvent aussi servir de garniture.

feuilles de riz

On trouve des feuilles de riz, rondes et translucides, dans les supermarchés et les épiceries asiatiques.

feuilles de vigne

Grandes feuilles de vigne vertes, vendues en boîte, en bocal, en sachet plastique, ou conservées dans la saumure. Elles sont utilisées dans la cuisine grecque et orientale, comme papillotes. Veillez à bien rincer les feuilles en saumure avant utilisation. Pour les assouplir, faites cuire les jeunes feuilles de vignes fraîches 10 minutes dans de l'eau frémissante.

gingembre mariné

Fines rondelles de jeune gingembre marinées dans le vinaigre, caractérisées par leur teinte rosâtre (si les rondelles sont d'un rose vif, leur couleur est due à un colorant). Le vinaigre peut aromatiser des sauces auxquelles vous souhaitez donner un léger goût de gingembre. Vous trouverez cette spécialité japonaise dans la plupart des grands supermarchés.

graines de moutarde

Graines très épicées dont le piquant s'atténue à la cuisson. On trouve plus facilement des graines de moutarde brunes que des graines jaunes.

gravlax

Cette spécialité nordique est un filet de saumon mariné dans un mélange de gros sel, de sucre et d'herbes aromatiques. Il se sert en tranches très fines. On en trouve dans certains supermarchés et dans les épiceries fines.

haricots noirs chinois

Ces haricots noirs salés sont vendus sous vide ou en conserve dans les épiceries asiatiques.

hiijiki

Variété d'algue vendue sous forme de petites brindilles sèches devant être réhydratées avant utilisation. Vous en trouverez dans les épiceries japonaises et certains supermarchés.

hoisin

Sauce chinoise épaisse, douce et épicée à base de haricots de soja fermentés et salés, d'oignons et d'ail. Sert pour mariner, badigeonner, ou relever viandes et poissons rôtis, grillés ou sautés.

huile de sésame

Il existe deux variétés d'huile de sésame : une variété foncée originaire de Chine, de saveur prononcée, produite avec des graines de sésame grillées, et une variété plus claire produite à partir de graines broyées, originaire du Moyen-Orient.

jus de gingembre

Râpez finement du gingembre frais, puis pressez-le. À utiliser pour aromatiser les vinaigrettes ou marinades.

mascarpone

Fromage frais italien à la crème dont la consistance rappelle celle de la crème fraîche épaisse et qui entre dans la préparation de nombreux plats sucrés et salés. On en trouve dans la plupart des supermarchés.

mesclun

Assortiment de jeunes feuilles de salade, originaire de Provence.

mirin

Vin de riz doux, qui sert à la cuisine japonaise, pour les sauces, les vinaigrettes ou en marinade, par exemple pour les brochettes teriyaki. À ne pas confondre avec le saké, qui se boit. À se procurer dans les épiceries asiatiques et certains supermarchés.

miso

Le miso foncé (hatcho-miso) est une pâte fermentée à base de graines de soja, de sel et de riz ou d'orge. C'est un condiment largement utilisé au Japon où il agrémente soupes, sauces, bouillons et marinades. Plus un miso est foncé, plus sa saveur est prononcée. Vous en trouverez dans les épiceries asiatiques et les boutiques bio.

mozzarella

Fromage italien de texture lisse et blanche, en forme de boule, baignant dans du petit-lait. La mozzarella authentique au lait de bufflonne, fondante et onctueuse, ne doit pas être confondue avec la mozzarella au lait de vache, plus élastique et moins délicate, généralement utilisée pour garnir les pizzas.

nori

Algue vendue en feuilles très fines, utilisée pour confectionner sushi et sashimi. Pour en renforcer la saveur, faites légèrement griller le côté brillant au-dessus d'une flamme. Vous en trouverez dans les boutiques bio et dans les épiceries asiatiques.

nouilles somen

Ces fines nouilles japonaises élaborées à base de farine de blé, d'eau et de jaune d'œuf, se présentent en fagot dans leur paquet. Disponibles dans les magasins d'alimentation japonais et dans certains supermarchés asiatiques.

nuoc-mâm

Sauce de poisson translucide, salée et parfumée, à base d'anchois fermentés. Elle est largement utilisée dans la cuisine d'Asie du Sud pour saler et relever les plats. Achetez-la en petite bouteille et conservez-la au réfrigérateur.

oignons frits

Vous en trouverez en bocaux au rayon condiments des supermarchés. À ajouter au dernier moment sur le riz ou les plats de légumes.

pancetta

Spécialité de viande de porc salée, vendue roulée et coupée en fines tranches, ou en gros morceaux qui sont ensuite détaillés en dés. Elle apporte un savoureux parfum de bacon dans les plats. Vous en trouverez chez les traiteurs italiens, ainsi qu'en grande surface.

panettone

Gâteau brioché aux raisins secs et aux fruits confits, consommé à Noël dans toute l'Italie. Vous en trouverez de toutes les tailles, chez les traiteurs italiens et dans certains grands supermarchés, en particulier à l'approche des fêtes de fin d'année.

panier vapeur en bambou

Ce récipient en bambou tressé possède un couvercle et un fond constitué de lattes. Mettez les aliments dans les paniers, que vous pouvez superposer, et placez-les au-dessus d'une casserole d'eau bouillante. Vous trouverez cet ustensile dans les boutiques asiatiques ou les magasins d'accessoires de cuisine.

papaye verte

Habituellement orangé, ce fruit légèrement doux et sucré se consomme également vert en légume. La papaye est très souvent râpée dans les salades thaïes, pour adoucir la vinaigrette pimentée. On peut s'en procurer dans les épiceries asiatiques.

pastrami

C'est de la poitrine de bœuf dont on a ôté la graisse et que l'on a fait sécher dans un mélange de sucre, d'épices et d'ail pendant une semaine, avant de la faire fumer. La viande coupée en fines lamelles peut être servie froide ou chaude.

poivre du Sichuan

Baies rouges séchées provenant d'un arbre épineux originaire de la région du Sichuan en Chine. De saveur épicée, le poivre du Sichuan laisse souvent dans la bouche un arrière-goût piquant. Pour en extraire tout le parfum, grillez les baies à sec et concassez-les. Si vous n'en trouvez pas, remplacez-le par un proche parent, le sansho, ou poivre japonais.

porcini séchés

Cèpes italiens vendus séchés. Ils sont généralement conditionnés en petits sachets mais on peut aussi les acheter au poids dans certaines épiceries fines

prosciutto

Jambon fumé italien légèrement salé, vendu en tranches très fines. Le jambon de Parme et le San Daniele sont deux variétés de prosciutto.

raifort

Grosse racine blanche couverte d'une peau brune noueuse, au goût relevé et dégageant un parfum fort et piquant.

ricotta

Fromage italien généralement vendu dans un contenant mais que l'on trouve parfois séché. La ricotta fraîche doit être égouttée pendant plusieurs heures dans une passoire tapissée d'un carré de mousseline.

risonis

Petites pâtes en forme de grains de riz.

riz pour risotto

Sur le marché trois grandes variétés de riz pour risotto : le riz arborio (gros grains riches en amidon donnant au risotto une consistance crémeuse), le riz vialone nano (grains plus petits dont le cœur reste croquant) et le riz carnaroli (grains de même taille que le vialone nano mais donnant un risotto de consistance plus ferme). Ces variétés sont interchangeables mais les temps de cuisson ne sont pas les mêmes.

sambal oelek

C'est une sauce forte d'origine indonésienne, réalisée à partir de piments pilés, de sel et de vinaigre. On en trouve dans les épiceries asiatiques et dans certains supermarchés.

sauce au gingembre et au piment doux

Sauce disponible dans les épiceries asiatiques.

sauce hoisin

Sauce chinoise épaisse, au goût sucré, fabriquée à base de soja fermenté, de sucre, de sel et de riz rouge. Employée pour tremper les aliments ou pour les glaçages. Traditionnellement utilisée pour le canard laqué, vous en trouverez dans les épiceries chinoises.

sésame noir

Les graines de sésame noir sont largement utilisées en Asie où elles sont appréciées pour leur couleur, leur croquant et leur léger goût de noisette. Disponibles dans la plupart des épiceries asiatiques et orientales, ces graines doivent être achetées en petites quantités car elles rancissent rapidement

shiitake

Champignons asiatiques vendus frais ou séchés, dotés de lamelles blanches et d'un chapeau marron. De texture ferme, ils se maintiennent très bien à la cuisson.

sirop de grenade

Sirop épais résultant de la réduction du jus de grenade. Il est très apprécié dans tout le Moyen-Orient pour sa saveur aigre-douce. Vous en trouverez dans les épiceries orientales. Vous pouvez aussi le remplacer par du jus de tamarin sucré.

sirop de sucre

Portez à ébullition, pour un sirop épais, 250 g de sucre semoule dans 225 ml d'eau. Remuez sans arrêt jusqu'à ce que le sucre soit dissous. Faites le refroidir et conservez le dans une bouteille au réfrigérateur jusqu'au moment de l'utiliser.

sucre de palme

Sève de différentes variétés de palmiers, concentrée en un sucre dense. Utilisé principalement dans la cuisine thaïe, il se présente sous forme de pain à râper ou à effriter avant utilisation, mais on peut également le trouver sous forme liquide. Le sucre de palme foncé est très intéressant pour sa saveur prononcée de caramel. Vous pouvez le remplacer par du sucre roux.

sumac

Épice poivrée et acidulée obtenue à partir de baies de sumac séchées puis broyées, largement utilisée dans la cuisine du Moyen-Orient. Vous en trouverez dans les épiceries orientales et dans la plupart des grands supermarchés.

tahini

Pâte épaisse, crémeuse, de graines de sésame grillées et moulues. On la trouve dans les épiceries orientales ou les magasins bio, même si elle est désormais disponible dans la plupart des supermarchés.

tamarin

Le tamarin est un fruit asiatique, dont on utilise la pulpe acide dans la cuisine asiatique. On le trouve donc sous forme de pulpe compressée dans les magasins asiatiques. Pour obtenir de l'eau de tamarin, placez dans un saladier 100 g de tamarin, et recouvrez de 500 ml d'eau bouillante. Laissez tremper 1 heure, en remuant de temps à autre afin de détacher les fibres. Passez le mélange dans un tamis fin. On trouve également du concentré de tamarin.

tortillas

Galettes plates et rondes, sans levure, utilisées dans la cuisine mexicaine. Au rayon exotique des supermarchés.

tumeboshi

Prunes japonaises mises en saumure avec des feuilles de shiso qui teintent les fruits de rouge. De saveur forte et salée, ces prunes sont vendues dans les boutiques bio et dans les épiceries japonaises.

vinaigre balsamique

Vinaigre foncé, parfumé et légèrement sucré, vieilli en fûts de bois et produit avec du moût de raisin. En Italie, la production de vinaigre balsamique est très contrôlée. On trouve dans le commerce du vinaigre balsamique véritable, *aceto balsamico tradizionale di Modena*, et du vinaigre meilleur marché vendu sous l'appellation *aceto balsamico di Modena*.

vinaigre de riz

Fabriqué à partir de riz fermenté, le vinaigre de riz existe en trois versions : clair, rouge et noir. Si la variété de vinaigre n'est pas précisée dans une recette, choisissez la claire.

wasabi

Condiment âcre provenant de la racine verte et noueuse de la plante japonaise *Wasabia japonica*. Servi traditionnellement avec les sushi et sashimi. Vous le trouverez dans les magasins asiatiques
et parfois dans les supermarchés.

wontons

Ce sont de petites feuilles de pâte carrées ou rondes, que vous trouverez fraîches ou surgelées dans les magasins asiatiques. On peut les farcir et les faire frire, les faire cuire à la vapeur, ou les incorporer dans les bouillons.

index